Zen !
La méditation
POUR
LES NULS

Stephan Bodian

Zen ! La méditation pour les Nuls
Titre de l'édition américaine : Meditation for Dummies

Publié par
IDG Books Worldwide, Inc.
Une société de International Data Group
919E. Hillsdale Blvd., Suite 400

Copyright © 1999 IDG Books Worldwide, Inc.

ISBN 2-87691-655-X
Dépôt légal : 4ᵉ trimestre 2001
Nous nous efforçons de publier des ouvrages qui correspondent à vos attentes et
votre satisfaction est pour nous une priorité. Alors, n'hésitez pas à nous faire part de vos
commentaires :

Éditions Générales First
33, avenue de la République
75011 Paris – France
e-mail : firstinfo@efirst.com

En avant-première, nos prochaines parutions, des résumés de tous les ouvrages du
catalogue. Dialoguez en toute liberté avec nos auteurs et nos éditeurs. Tout cela et bien
plus sur Internet à : www.efirst.com

Sommaire

● ●

Deuxième partie :
Cette fois, on y va 125

Chapitre 4 :
Relaxer son corps et apaiser son esprit.......127

Quatrième partie :
les 10 commandements..............*281*

Chapitre 8 : Réponses aux 10 questions
les plus souvent posées sur la méditation...283

Chapitre 9 : Mes 10 méditations multi-usages préférées (plus deux)....................................297

Introduction

• •

*L*e monde entier semble aujourd'hui vouloir s'initier
à la méditation. Des ados angoissés aux retraités
toujours très actifs, des femmes au foyer pressées aux
cadres tendus, des malades du cœur aux sportifs du
dimanche, de plus en plus de personnes cherchent des
solutions à leur vie stressée, surbookée et surexcitée.
Les médias et la médecine traditionnelle s'étant
montrés incapables de leur apporter des réponses
satisfaisantes, ils se tournent de plus en plus nombreux
vers des pratiques séculaires comme la méditation
pour trouver des remèdes aux maux de la vie.

J'ai de bonnes nouvelles pour vous : la médiation
marche ! Que vous soyez à la recherche d'une plus
grande capacité de concentration pour mieux travailler, de moins de stress et de plus de tranquillité
d'esprit, ou d'une perception plus profonde de la
beauté et de la richesse de la vie, le simple geste de
s'asseoir et de tourner son attention vers l'intérieur
accomplit de véritables merveilles. Je suis bien
placé pour le savoir : je pratique moi-même la méditation et l'enseigne depuis plus de 25 ans.

Pour ne rien vous cacher, vous pouvez apprendre les bases de la méditation en seulement 5 minutes. Il vous suffit de vous asseoir confortablement, le dos droit, de respirer profondément et de suivre votre souffle. Et voilà, le tour est joué ! Si vous pratiquez régulièrement, vous verrez que vous vous sentirez rapidement plus détendu et apprécierez encore mieux la vie.

En dépit de sa simplicité apparente, la méditation peut également devenir d'une profondeur et d'une complexité immenses, pour peu que vous ayez envie de poursuivre plus loin. C'est un peu comme la peinture – vous pouvez acheter du matériel, prendre quelques leçons, et passez de très bons moments à peindre sur une planche à dessin. Mais, vous pouvez également vous inscrire dans une école des beaux arts, vous spécialiser dans un domaine particulier et faire de la peinture l'élément central de votre vie. Pour la méditation comme pour l'art, vous avez le choix entre le basique – consacrer 5 à 10 minutes quotidiennes à méditer – et le plus complexe, c'est-à-dire explorer les subtilités du fond du cœur. Tout dépend de vos besoins, de vos intentions, de votre degré d'intérêt et de passion.

À propos de ce livre

En tant que professeur de méditation, j'ai toujours eu des difficultés pour trouver un livre qui enseigne les bases, fournisse une vue d'ensemble détaillée des techniques et pratiques et serve de guide pour aller plus loin. Les ouvrages généraux passent souvent sous silence les aspects pratiques – sur quoi poser son attention, comment s'installer confortablement, que faire de son esprit fou. Les livres qui apprennent à méditer ne proposent en général que quelques techniques. Ceux, enfin qui montrent comment explorer le riche monde intérieur de la méditation ont souvent une perspective spirituelle sectaire qui restreint l'étendue de leur présentation. (En d'autres termes, il vous faudrait devenir bouddhiste, yôgi ou soufi pour comprendre ce dont ils parlent.)

Contrairement aux autres livres que j'ai consultés, celui-ci couvre toutes les notions de base. Si vous recherchez des instructions méditatives simples et faciles d'accès, vous trouverez ici des conseils ultramodernes, truffés de tuyaux utiles fournis par les méditants chevronnés et la sagesse séculaire des grands maîtres du passé. Si vous êtes intéressé par une vue d'ensemble du champ de la méditation avant de vous rabattre sur l'un des enseignements ou méthodes, vous aurez un aperçu des principales approches disponibles de nos jours. Si vous méditez déjà et désirez élargir vos horizons pour y inclure d'autres techniques, vous découvrirez avec plaisir que ce livre présente des dizaines de méditations différentes pour des usages multiples, tirées de sources et de traditions très diverses. Et si vous cherchez seulement à comprendre pourquoi d'autres personnes méditent – votre partenaire, des amis ou votre collègue – bienvenue à bord !

Le point le plus positif de ce livre, à mon humble avis, est qu'il est amusant à lire. La méditation ne doit pas être quelque chose d'ennuyeux ou de triste. Au contraire : son objectif premier est de donner de l'éclat à la vie et de la rendre plus sereine et plus heureuse. Oubliez donc le stéréotype du reclus nombriliste ! Vous trouverez dans ce livre tout ce que vous pouvez avoir envie de savoir tout en vous divertissant.

Comment utiliser ce livre

Ce livre est plusieurs choses à la fois : un manuel d'instructions, un cours d'introduction et un guide pour une exploration plus approfondie. Vous pouvez le lire du début à la fin ou le survoler jusqu'à ce que vous atteigniez les chapitres qui vous intéressent. Vous y trouverez au tout long des méditations et des exercices à faire et apprécier.

En fonction de vos centres d'intérêts et de vos besoins, ce livre peut être utilisé de diverses façons :

Pour acquérir une meilleure compréhension de ce qu'est réellement la méditation et de ce qu'elle peut offrir, commencez par la première partie, où vous trouverez les réponses à vos questions et des solutions à vos problèmes (cela fera 45 € s'il vous plaît !)

Pour trouver un cours intensif de la pratique méditative, dirigez-vous vers la seconde partie où vous découvrirez tout ce que vous devez savoir, depuis la façon de s'asseoir sans bouger, de focaliser son esprit, où et quand méditer jusqu'au matériel dont vous aurez besoin et comment l'utiliser.

Pour obtenir une vue d'ensemble du domaine de la méditation, voyez le chapitre 3 pour la perspective historique.

Pour trouver une méditation correspondant à un objectif ou un besoin spécifique, voyez le chapitre concerné ou bien, faites un tour dans la quatrième

partie (celle des 10 commandements) où vous
trouverez un choix des meilleures méditations à
usages multiples.

Comment ce livre est-il organisé ?

Même si j'ai écrit ce livre pour qu'il soit lu d'un
bout à l'autre – certains le font encore, rassurez-
moi ! – j'ai également fait en sorte que vous puissiez
trouver ce que vous cherchez rapidement et facilement. Chaque partie couvre une phase différente de
votre rencontre avec la méditation.

Première partie :
Rencontre avec la méditation

Si vous n'avez aucune notion sur la méditation,
c'est très certainement là qu'il est préférable
de commencer. Vous y découvrirez ce qu'est
(et n'est pas) la méditation, ses origines et
comment elle peut vous être utile pour réduire
votre stress, améliorer votre santé, développer
vos sentiments de paix et de bien-être.
Cette partie vous divulgue aussi les rouages retors
de votre esprit (pour le cas où vous ne l'auriez pas

encore remarqué) et vous explique comment
la méditation vous aide à conserver votre calme et
votre concentration.

Deuxième partie : Cette fois, on y va

C'est là que vous apprenez véritablement comment
s'asseoir, et travailler sur votre esprit (et votre
cœur !) Au cas où la perspective de vous retrouver
dans le silence et de vous tourner vers l'intérieur
vous intimidait, je vous ai donné des instructions
faciles à suivre qui vous mèneront en douceur,
étape par étape, tout au long du processus.
J'ai ajouté un chapitre à part qui concerne tous les
petits détails que la plupart des livres de méditation considèrent comme allant de soi – comment
garder le dos (plus ou moins) droit sans être trop
tendu ou que faire de ses yeux ou de ses mains
par exemple – ainsi qu'un autre sur les étirements
et la préparation du corps à la posture assise. Vous
pouvez même méditer allongé si vous préférez.

Troisième partie : la méditation en marche

C'est une chose d'apaiser votre esprit et d'ouvrir
votre cœur dans l'intimité de votre lieu de méditation,

c'en est une toute autre de pratiquer la méditation
tout au long de la journée, avec votre patron
(ou vos clients), votre partenaire, vos enfants, et
l'automobiliste juste devant vous. Vous allez
apprendre dans cette partie à élargir les bénéfices
de la méditation à tous les aspects de votre vie.

Quatrième partie : les 10 commandements

Ayant tendance à aller d'abord à la fin des livres,
j'adore les listes comme celle-ci. Vous trouverez
dans cette partie les réponses aux questions les
plus souvent posées à propos de la méditation et
un condensé des meilleures méditations à usages
multiples.

Les icônes utilisées dans ce livre

 Ces brefs exercices procurent une pause
agréable dans notre vie agitée. Ils ont pour
objectif de vous faire sortir de votre tête
pour vous placer ici et maintenant.

Lorsque vous voyez cette icône, soyez prêt à arrêter ce que vous êtes en train de faire, respirer plusieurs fois profondément et commencer à méditer. C'est l'occasion de goûter la méditation pour de vrai !

Si je ne l'ai pas dit avant, j'aurais dû – il s'agit d'une information importante qui vaut le coup d'être répétée.

cette icône vous indique où trouver des notions de nature plus philosophique.

Si vous voulez que vos méditations soient plus faciles et efficaces, suivez ces conseils d'initiés.

Les hommes méditent depuis des milliers d'années. Voici quelques petits trucs qu'ils ont appris, présentés sous forme d'anecdotes ou d'histoires.

Première partie

Rencontre avec la méditation

Un petit tuyau : si vous vous entendez ronfler,
c'est que votre méditation est trop profonde

Dans cette partie...

Vous trouverez dans ce livre tous les aspects de la méditation qui puissent vous intéresser, vous motiver pour enfin vous aider à démarrer. Savez-vous par exemple, que la méditation peut s'enorgueillir d'une illustre tradition multiculturelle ? Qu'une pratique régulière procure des bienfaits multiples et divers, scientifiquement prouvés, comme la réduction du stress, de la tension artérielle et du taux de cholestérol ; le développement de l'empathie et de la créativité ?... Voilà pour les principaux thèmes abordés ici, il ne vous reste plus qu'à poursuivre la découverte.

Chapitre 1

La méditation : ce qu'elle est et ce qu'elle n'est pas

. . . .

Dans ce chapitre :

▶ L'ascension vers la méditation

▶ Trouver des haltes et des sommets moins élevés en chemin

▶ À la découverte des principales techniques méditatives

▶ Que trouve-t-on au sommet ?

▶ Développer la concentration, la conscience réceptive, la contemplation et la culture d'états

. . . .

*L*a méditation est en réalité quelque chose de très simple, et c'est en cela qu'elle est formidable. Il suffit de s'asseoir, de rester calme, de porter

son attention vers l'intérieur et de focaliser son esprit. Voilà, ce n'est pas plus compliqué que cela. (Reportez-vous à l'encadré page suivante « La méditation : un exercice bien plus simple que vous ne le pensez. ») Pourquoi alors, me direz-vous, écrit-on tant d'ouvrages et d'articles sur le sujet ?
Et pourquoi un livre aussi détaillé que celui-ci ?
Ne suffirait-il pas de donner quelques instructions de base et de laisser tomber tout ce verbiage ?

Imaginons que vous envisagiez de partir pour un long voyage en voiture vers une destination très pittoresque. Vous pouvez vous contenter de griffonner les indications routières et les suivre méthodiquement. Au bout de quelques jours vous arriverez sûrement à destination. Mais ne pensez-vous pas que le voyage vous semblera plus agréable si vous êtes accompagné d'un guide qui vous montre les choses à voir tout au long du parcours ? Sans compter que vous vous sentirez certainement plus rassuré si vous partez avec un manuel de dépannage en cas de pépin avec votre véhicule ! Et pourquoi ne pas vous donner la possibilité de faire des détours pour admirer des points de vue intéressants ou plus radicalement de changer totalement d'itinéraire, voire de véhicule ?

La pratique de la méditation est en quelque sorte comparable à un long voyage dont vous tenez entre les mains le guide touristique. Ce chapitre vous propose une vue d'ensemble de votre périple, vous offrant des déviations et des chemins alternatifs jusqu'à votre destination. Il vous explique les techniques de base que vous devez connaître pour vous y rendre, sans oublier de vous mettre en garde contre les détours qui semblent apporter les mêmes bénéfices mais qui n'entraînent que déception.

La méditation : un exercice bien plus simple que vous ne le pensez

La méditation est un exercice qui consiste seulement à focaliser son attention sur un objet donné – en général ordinaire comme un mot ou une expression, la flamme d'une bougie, une figure géométrique ou son souffle. Au quotidien, l'esprit établit un barrage constant de sensations, d'impressions visuelles, d'émotions et de pensées. Au cours de la méditation, l'attention est moins dispersée et le bombardement du système nerveux par les stimulus extérieurs plus faible ce qui a pour effet d'apaiser l'esprit.

Les instructions suivantes vont vous donner un rapide avant-goût de ce qu'est la méditation.

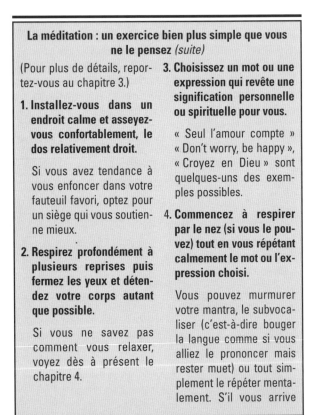

La méditation : un exercice bien plus simple que vous ne le pensez *(suite)*

(Pour plus de détails, reportez-vous au chapitre 3.)

1. **Installez-vous dans un endroit calme et asseyez-vous confortablement, le dos relativement droit.**

   Si vous avez tendance à vous enfoncer dans votre fauteuil favori, optez pour un siège qui vous soutienne mieux.

2. **Respirez profondément à plusieurs reprises puis fermez les yeux et détendez votre corps autant que possible.**

   Si vous ne savez pas comment vous relaxer, voyez dès à présent le chapitre 4.

3. **Choisissez un mot ou une expression qui revêt une signification personnelle ou spirituelle pour vous.**

   « Seul l'amour compte » « Don't worry, be happy », « Croyez en Dieu » sont quelques-uns des exemples possibles.

4. **Commencez à respirer par le nez (si vous le pouvez) tout en vous répétant calmement le mot ou l'expression choisi.**

   Vous pouvez murmurer votre mantra, le subvocaliser (c'est-à-dire bouger la langue comme si vous alliez le prononcer mais rester muet) ou tout simplement le répéter mentalement. S'il vous arrive

_ Chapitre 1 : La méditation : ce qu'elle est et ce qu'elle n'est pas 17

d'être distrait, retournez à l'objet de votre méditation.

Une autre possibilité consiste à suivre le passage de votre respiration (inspirations et expirations) à travers vos narines. Là encore, retournez à votre souffle en cas de distraction.

5. **Méditez pendant au moins 5 minutes puis relevez-vous lentement avant de reprendre vos activités normales.**

Qu'avez-vous ressenti ? Avez-vous trouvé étrange de répéter la même chose ou de suivre votre souffle sans vous arrêter ? Êtes-vous parvenu sans difficulté à garder votre concentration ? Avez-vous souvent changé de mantra ? Si c'est le cas, ne vous inquiétez pas ; avec de la pratique et l'aide de nos conseils, vous attraperez vite le tour de main.

S'il est possible de consacrer plusieurs années fructueuses et agréables à la maîtrise des subtilités et complexités de la méditation, l'exercice de base est suffisamment simple pour permettre, même à un non spécialiste, de bénéficier de ses formidables avantages.

Le voyage vers la méditation

Vous ne tenez pas ce livre entre les mains par hasard. Vous êtes certainement à la recherche de quelque chose de plus dans votre vie – tranquillité d'esprit, quête d'énergie, de bien-être, du sens vrai, du bonheur, de joie. Vous avez entendu parler de la méditation et vous vous demandez ce qu'elle peut réellement vous offrir. Pour continuer avec la métaphore du voyage, disons que la méditation vous prend là où vous êtes et vous emmène là où vous voulez être.

Aimant l'aventure, j'aime à comparer ce voyage à l'ascension d'une montagne : vous avez eu l'occasion de voir des photos de son sommet mais à ses pieds, vous entrevoyez à peine la cime à travers les nuages. Le seul moyen de l'admirer est d'entreprendre l'ascension de la montagne – étape par étape.

Les différents chemins menant au sommet

Une fois prêt, quel moyen allez-vous prendre pour arriver à la cime ? Deux options s'offrent à vous : prendre des leçons d'alpinisme, acheter l'équipement adéquat et commencer l'ascension par l'un des versants rocheux ou opter pour l'un des nombreux sentiers qui serpentent et monter en randonnée jusqu'au faîte de la montagne. (Il est toujours possible de tricher et de monter en voiture, mais là, ma métaphore ne tient plus !).

Si ces chemins mènent au même endroit, chacun possède ses propres caractéristiques. Le premier vous hissera par un versant à pic, sec et rocailleux, le second vous conduira à travers forêts et prairies. Vous y verrez des paysages forts différents : des terres arables ou des déserts dans le premier cas et des vallées luxuriantes parsemées de fleurs dans le second.

Selon votre énergie et votre motivation, vous pourrez peut-être faire une halte pour pique-niquer et apprécier ces moments de paix et de sérénité pendant quelques heures (ou quelques jours). Mais vous pourrez aussi ne pas avoir envie d'aller plus haut tellement vous vous sentez bien, ou bien vous contenter d'un plus petit sommet ou encore désirer atteindre le sommet le plus rapidement possible sans vous attarder en route

Le voyage vers la méditation rappelle en de nombreux points l'ascension d'une montagne. Quelle que soit la voie choisie, le chemin vous procurera du plaisir et vous recueillerez les bénéfices des exercices de respiration profonde qui font travailler des muscles dont vous ne soupçonniez même pas l'existence !

L'ascension vers la méditation est pratiquée dans de nombreuses parties du monde depuis des milliers d'années. (Pour en savoir plus sur l'histoire de la méditation, reportez-vous au chapitre 3). Les cartes topographiques et les guides de voyage sont par conséquent très nombreux ; chacun proposant un parcours propre ainsi qu'une méthode d'ascension et des conseils sur l'équipement requis.

En règle générale, les guides en vente décrivent un chemin spirituel jalonné de croyances et de pratiques, souvent secrètes, qui se transmettent de génération en génération. (Voir l'encadré page 24 « Les racines spirituelles de la méditation. ») Au cours des dernières décennies, les chercheurs et professeurs occidentaux ont arraché la méditation de ses origines spirituelles pour en faire un remède contre quelques-uns des maux du XXIᵉ siècle.

(Pour en savoir plus sur les bienfaits de la méditation, reportez-vous au chapitre 2).

Si la description du sommet diffère selon les ouvrages et les cartes – certains mettant l'accent sur la liberté des grands espaces, d'autres sur le sentiment de paix ou de joie intense éprouvé à l'arrivée, ou sur la présence de plusieurs sommets et pas seulement d'un seul – je partage l'avis de l'ancien sage qui disait que « les techniques de méditations ne sont que différents chemins menant à la cime de la même montagne ».

Voici quelques-unes des nombreuses techniques mises au point au cours des siècles passés :

> ✔ La répétition de mots ou de formules incantatoires, appelés *mantras* (voir chapitre 3)
>
> ✔ La conscience attentive du moment présent (le thème de la pleine conscience est développé aux chapitres 4 et 7)
>
> ✔ Les techniques de respiration (voir chapitre 4)
>
> ✔ L'attention portée au flot d'émotions qui traverse le corps (voir chapitre 4)

✔ La culture de la bonté, de la compassion, du pardon et d'autres émotions curatives

✔ La concentration sur une figure géométrique ou tout autre objet visuel ordinaire

✔ La visualisation d'un endroit calme, d'une énergie ou entité curative

✔ La lecture ou la réflexion sur des écrits sacrés ou inspirateurs

✔ La contemplation de l'image d'un être sacré ou d'un saint

✔ La contemplation de la nature

✔ Les psalmodies de prières à Dieu

Tout au long de ce livre, vous aurez la possibilité d'expérimenter un grand nombre de ces techniques dont une en particulier est plus détaillée : la pleine conscience qui permet, à partir d'exercices de respiration, de mener à la méditation à n'importe quel moment de la journée.

Qu'y a-t-il au sommet – et aux autres pics rencontrés en chemin ?

Que découvre-t-on une fois au sommet ? Si l'on fait confiance aux déclarations des méditants et des mystiques qui ont gravi la montagne avant nous, au sommet se trouve la *source* de tout amour, sagesse, bonheur et joie. Certains la nomment esprit ou âme, vraie nature ou vrai moi, vérité suprême ou fondations de l'être (ou simplement l'être). D'autres l'appellent Dieu ou le Divin, le Saint Mystère ou l'Éternel. Il existe presque autant de noms pour la décrire que de personnes qui l'ont rencontrée. Dans certaines traditions spirituelles, elle est tellement sacrée et puissante qu'elle n'est bien souvent jamais nommée.

L'*expérience* même que constitue l'accès au sommet est qualifiée par les méditants expérimentés d'Illumination (par opposition aux ténèbres de l'ignorance), de réveil (d'un rêve), de libération (d'un esclavage), de liberté (non entravée par des limites) et d'union (avec Dieu ou l'être, ou la vraie nature).

Tous ces mots et noms sont comparés dans un vieil adage, à des doigts pointés vers la lune. Prêter trop attention aux doigts risque d'occulter la lune si belle, pourtant la raison de la présence des doigts. En fin de compte, vous devez accéder à la lune – ou dans notre exemple, au sommet – pour vous-même.

Les racines spirituelles de la méditation

Si la méditation est aujourd'hui pratiquée par un grand nombre de personnes (peut-être même parmi vos connaissances), elle fut pendant des siècles tenue secrète et occultée par les moines, les nonnes, les mystiques et les ascètes qui y avaient recours pour entrer dans des états supérieurs de conscience et atteindre ainsi l'apogée de leur propre voie.

Bien sûr, des profanes très motivés et disposant de temps pouvaient toujours apprendre quelques techniques mais la pratique stricte de la méditation demeurait une recherche sacrée réservée à une petite élite aspirant à renoncer au monde et à consacrer sa vie à la méditation. (Pour en savoir plus sur l'histoire de la méditation, reportez-vous au chapitre 3.)

Les temps ont indéniablement bien changé ! Depuis le zen de la Beat generation des années 50, l'influence des yôgis et des swamis indiens des années 60 et la fascination de plus en plus forte aujourd'hui pour le Bouddhisme, la méditation est devenue irrévocablement un courant dont les bénéfices pratiques sont applaudis dans tous les moyens d'expression, réels ou virtuels. Pour vous en convaincre, faites un tour sur l'Internet et vous verrez le nombre époustouflant de sites qui lui sont dédiés !

La méditation a fait l'objet d'abondantes études dans les laboratoires de psychologie et réduite à des formules simples comme l'atteinte d'un état de relaxation. Elle n'a pourtant jamais perdu ses racines spirituelles et si elle rencontre un tel succès c'est justement parce qu'elle nous rattache à une dimension spirituelle, que l'on peut nommer de bien des façons mais que j'appelle simplement « l'être ».

Atteindre des états supérieurs ou connaître des expériences comme celles de l'Illumination ou de l'union n'est pas forcément votre objectif. Vous pouvez très bien n'avoir acheté ce livre que pour apprendre à réduire votre stress, consolider votre rétablissement ou mieux gérer vos émotions. Dans ce cas, oubliez les saints mystères – vous cherchez juste un peu plus de clarté et de tranquillité d'esprit. Parfait !

Sachez toutefois, que quel que soit le sommet choisi, le chemin qui y mène est identique. Les instructions de base sont les mêmes – mais vous devez choisir votre destination. Voici quelques-uns des arrêts et promontoires les plus fréquents sur le chemin vers le sommet.

- ✔ Le travail sur l'attention et de la concentration

- ✔ La réduction de la tension, de l'anxiété et du stress

- ✔ Une plus grande clarté d'esprit et l'apaisement du désarroi émotionnel

- ✔ La réduction de la tension artérielle et du taux de cholestérol

- ✔ Un soutien dans la lutte contre les dépendances et autres comportements autodestructeurs

- ✔ Une créativité et des performances plus grandes au travail et dans les loisirs

- ✔ Une meilleure compréhension et acceptation de soi

- ✔ Davantage d'amour, de joie et de spontanéité

- ✔ Une plus grande intimité avec ses amis ou sa famille

- ✔ Une meilleure compréhension du sens et de l'objectif des choses

- ✔ Un aperçu de la dimension spirituelle de l'être

Comme vous pouvez le constater par vous-même, ces étapes sont des destinations à part entière et toutes valent la peine de faire l'objet du voyage. (Pour en savoir plus sur les bénéfices de la méditation, reportez-vous au chapitre 2.) Une fois l'objectif recherché atteint (stress, bien-être, meilleure santé), vous n'éprouverez pas forcément l'envie ni le besoin de poursuivre plus haut. Mais vous pouvez aussi vouloir dépasser vos ambitions initiales et gagner les altitudes plus élevées décrites par les illustres méditants.

Le goût de l'eau pure de la montagne

✔ Pour aller plus loin dans notre métaphore de la montagne, imaginez l'existence d'une source à son sommet d'où jaillirait, sans jamais se tarir, *l'eau pure de l'être*. (Cette eau peut tout aussi bien être appelée eau de la bénédicité, de l'esprit ou de l'amour inconditionnel, selon vos convictions). Ceux qui parviennent au sommet, plongent dans l'étendue d'eau entourant la source, s'immergeant totalement. Certains fusionnent avec l'eau ne faisant alors plus qu'un avec l'être lui-même. (Rassurez-vous rien ne vous y oblige si vous n'en sentez pas l'envie !)

Il n'est pas nécessaire d'atteindre la cime pour pouvoir connaître le goût de l'être. L'eau dévale les versants en cours d'eau et petits ruisseaux, nourrissant les vallées et les villes en contrebas. En un mot, l'être peut se goûter partout, dans toutes choses car il représente l'essence même de la vie à tous les niveaux. Sans méditation, il est difficile de se rendre compte de son véritable goût.

La pratique de la méditation permet de se rapprocher de la source d'eau et d'apprendre à reconnaître son goût. (Celui-ci est d'ailleurs perçu différemment selon la personnalité de chacun et l'endroit de la montagne où l'on se trouve, devenant calme, paix, bien-être, intégrité, clarté et compassion). Peu importe l'endroit où vous êtes arrêté, vous devez plonger les mains dans l'eau de la source et la boire par vous-même afin de retrouver son goût partout où vous irez.

On n'est nulle part si bien que chez soi – et vous y êtes !

La métaphore de la montagne achevée, il ne me reste plus qu'à la balayer d'une seule main – comme une vague emportant un château de sable. Le voyage vers la méditation nécessite de l'assiduité et un effort régulier comparables à l'ascension d'un sommet. Elle occulte cependant d'importants paradoxes :

✔ Premier point, le sommet dont il est question ici ne se situe pas dans un mystérieux lieu lointain extérieur à vous : il se trouve dans les profondeurs de votre être – ou de votre cœur selon certaines traditions – et attend d'être découvert. (Voir l'encadré « À la découverte du trésor de votre propre demeure », ci-après dans ce chapitre.)

✔ Deuxième point, ce sommet peut se conquérir en un instant et ne requiert pas nécessairement plusieurs années de pratique. Lorsque vous méditez, par exemple, que votre esprit s'apaise, que vous vous sentez enveloppé par une sérénité ou une paix profonde, que vous percevez le lien qui vous unit à tous les êtres ou que vous ressentez une montée de paix ou d'amour, vous goûtez l'eau de l'être jaillie de votre source intérieure. Ces moments vous guident et vous nourrissent dans des proportions dont vous n'avez pas idée.

✔ La métaphore de la montagne suggère de plus un voyage progressif, avec un objectif à la clé alors que le but de la méditation est au contraire de mettre de côté toutes les intentions et les efforts pour ne plus qu'être. Comme le dit si justement le titre du best-seller de Jon Kabat-Zinn, spécialiste de la réduction du stress, « Où tu vas, tu es », ou bien Dorothy dans « Le magicien d'Oz » « On n'est nulle part si bien que chez soi » – et comme Dorothy, vous y êtes déjà !

SAGESSE POPULAIRE

À la découverte du trésor de votre propre demeure

Cette histoire tirée de la tradition juive se retrouve sous une forme plus ou moins proche dans les principaux enseignements méditatifs du monde. Simon, simple tailleur, rêve jour et nuit du fabuleux trésor qu'il découvrira un jour, lorsqu'il quittera son petit village et sa maison familiale pour partir à la découverte du monde. Un soir, tard dans la nuit, il rassemble ses effets et se met en route.

Pendant des années il parcourt les plus grandes villes, gagnant son pain en reprisant les vêtements usés, à la recherche du trésor qu'il sait sien. Mais tous ceux qu'il interroge à propos de son trésor se débattent avec leurs problèmes personnels et sont incapables de l'aider.

À la découverte du trésor de votre propre demeure

Un jour il fait la rencontre d'une voyante connue partout pour ses dons extraordinaires. « C'est vrai », lui dit-elle, « il existe bel et bien un immense trésor qui appartient à vous et à vous seul ». À l'écoute de ces mots, les yeux de Simon se mettent à briller d'excitation. « Je vais vous dire comment le trouver » poursuit-elle en donnant à Simon des indications complexes qu'il note scrupuleusement. Lorsqu'elle arrive au terme de ses consignes et qu'elle a fini de décrire la rue et la maison où le trésor est prétendument enfoui, Simon n'en croit pas ses oreilles car il se trouve à l'endroit même qu'il a quitté plusieurs années auparavant pour partir à sa recherche.

Il remercie rapidement la voyante, glisse les indications dans sa poche et se hâte de revenir à son ancienne demeure. Et c'est là qu'il découvre, à sa grande surprise, un énorme trésor caché sous l'âtre.

Que signifie cette histoire ? La chose suivante : pendant que nous errons à la recherche de la paix intérieure et essayons toutes sortes de pratiques méditatives, la paix, la sagesse et l'amour que nous poursuivons se trouvent constamment à portée de nous, cachés au fond de nos cœurs.

Il est évident que vous n'allez pas abandonner toutes vos actions et vos efforts instantanément et *être* tout simplement, même lorsque vous méditez. C'est quelque chose qui s'acquiert lentement avec de l'entraînement et l'apprentissage de la concentration. Peu à peu, vous irez vers la simplification de vos méditations, agissant de moins en moins, pour « être » de plus en plus. Voici quelques-unes des étapes que vous pourrez rencontrer avant de parvenir à « être » tout simplement :

- ✔ Prendre l'habitude de rester assis immobile
- ✔ Développer votre faculté de tourner votre attention vers l'intérieur
- ✔ Lutter pour fixer votre attention
- ✔ Être distrait plusieurs fois
- ✔ Améliorer votre capacité d'attention
- ✔ Vous détendre de plus en plus pendant la méditation
- ✔ Remarquer les moments fugaces où l'esprit s'apaise
- ✔ Sentir des visions fugitives de sérénité et de paix

Et voici peut-être le plus grand paradoxe : si vous pratiquez la méditation avec application, vous finirez par vous rendre compte que vous n'avez jamais quitté votre demeure, même pour un instant.

Prendre conscience de votre conscience

En règle générale, vous n'accordez que peu d'attention à votre conscience. Et pourtant, sans elle, aucune de nos actions ne serait possible. Lorsque vous regardez la TV, révisez vos leçons, cuisinez, conduisez, écoutez de la musique ou discutez avec un ami, vous êtes conscient ou prêtez attention à ce que vous faites. Avant de méditer de façon traditionnelle, explorer votre propre conscience peut s'avérer utile.

Tout d'abord, que signifie être conscient ? Cherchez dans votre quotidien des moments où vous n'avez conscience de rien. Maintenant complétez cette phrase : « je suis conscient de... » Répétez l'exercice plusieurs fois pour voir où vous entraîne votre conscience.

Êtes-vous davantage conscient des sensations internes ou des sensations externes ? Accordez-vous plus d'importance aux pensées et idées fantastiques ou aux expériences sensorielles du moment ? Notez si la conscience du temps présent est perturbée par une préoccupation qui déclenche une activité mentale.

Attachez-vous ensuite à déterminer si votre conscience se concentre sur un objet ou une sensation particulière ou si elle est plus vaste et englobante. Vous découvrirez peut-être qu'elle ressemble à un projecteur se déplaçant d'un objet à un autre. Contentez-vous de l'observer sans tenter de la modifier.

Essayez de la décrire. Se déplace-t-elle rapidement d'un point à un autre ou au contraire plus lentement, en s'arrêtant sur chaque objet avant de bouger ? Faites-en l'expérience en accélérant puis en ralentissant son flot. Notez l'effet produit.

Il se peut que votre conscience soit en permanence ramenée à certains types d'objets ou d'évènements et pas à d'autres. Où se promène-t-elle souvent ? Quelle expérience semble-t-elle éviter de manière sélective ?

À présent, essayez de diriger doucement votre conscience d'un point à un autre. Vous remarquerez peut-être que lorsque vous prêtez attention aux sons, vous oubliez pendant un instant vos mains ou une éventuelle sensation de gêne dans le dos ou les genoux. Essayez de vous concentrer sur un objet aussi longtemps que possible. Combien de temps restez-vous sans être distrait avant que votre esprit ne passe à autre chose ?

Travailler la conscience :
le secret de la méditation

Si, comme dit un vieux proverbe chinois, « un voyage de mille li a commencé par un pas » (le li est une mesure itinéraire correspondant environ à 600 m), le voyage vers la méditation commence par la culture de la *conscience* ou de *l'attention*. En fait, la conscience est le muscle mental qui vous conduit et vous soutient tout au long de votre voyage, pas à pas. Quelle que soit la voie ou la technique choisie, la méditation consiste à développer, focaliser et diriger la conscience. (Notez au passage que l'attention est une conscience légèrement concentrée et que j'utilise les deux termes de façon plus ou moins interchangeable tout au long de ce livre. Reportez-vous à l'encadré « Prendre conscience de votre conscience. »)

Pour mieux comprendre le fonctionnement de la conscience, prenons la métaphore de la lumière. Il est difficile de fonctionner sans (avez-vous déjà essayer de trouver quelque chose dans l'obscurité totale ?), à moins de développer les aptitudes et la sensibilité plus grandes des non-voyants, et pourtant voir semble si naturel qu'on n'y fait même plus attention. Il en est de même pour la conscience. Même si vous n'êtes pas conscient de son rôle, vous seriez incapable, sans elle, de mener à bien les tâches même les plus simples.

L'utilisation de la lumière est très vaste. Elle sert à éclairer plus ou moins intensément une pièce, à rechercher un objet dans le noir lorsque ses rayons sont davantage concentrés ou lorsqu'elle est amplifiée ou encore, lorsqu'elle est concentrée dans un puissant rayon laser, à traverser l'acier ou à envoyer des messages aux étoiles.

Comme la lumière, la conscience peut être utilisée de diverses façons dans la méditation. Vous pouvez accroître votre capacité de conscience en développant la *concentration* sur un objet donné. (Une liste succincte d'objets de méditation est proposée au début de ce chapitre dans la section « Les différents chemins menant au sommet ».

Puis, lorsque vous avez appris à stabiliser votre concentration, vous pouvez, en pratiquant la conscience réceptive, élargir votre conscience – comme l'éclairage d'une pièce – pour illuminer l'ensemble de vos expériences. En poussant votre concentration encore plus loin, vous parviendrez à *cultiver* des émotions et des états mentaux positifs. La conscience permet aussi d'étudier votre expérience intérieure et de contempler l'essence de l'existence elle-même. Ces quatre notions : *concentration*, *conscience réceptive*, *contemplation* et *culture d'états* – représentent les principales utilisations de la conscience dans les plus importantes traditions méditatives.

Travailler la concentration

Pour réussir à peu près tout, vous devez focaliser votre conscience. Les personnes les plus productives ou créatives dans tous les domaines – athlètes, acteurs, hommes d'affaires, scientifiques, chercheurs, écrivains – partagent tous la faculté de faire barrage à toute distraction et de s'immerger totalement dans leur tâche. Comment ne pas imaginer que sans une concentration totale, les Français seraient parvenus à marquer trois but en finale de la coupe du Monde de football !

 Certaines personnes ont une faculté de concentration quasiment innée mais pour la plupart d'entre nous, elle doit être travaillée. Les Bouddhistes comparent volontiers l'esprit à un singe qui parle sans cesse, sautant de branche en branche, comme d'un sujet à un autre. Avez-vous remarqué que la plupart du temps, vous n'aviez qu'un contrôle partiel des caprices et indécisions de votre conscience qui peuvent s'espacer un temps pour devenir obsessionnels peu après. La méditation permet d'apaiser la conscience dissipée en la rendant unidirectionnelle plutôt que distraite et dispersée.

Dans un grand nombre de traditions spirituelles, la concentration est enseignée comme la pratique fondamentale de la méditation. Il est demandé aux étudiants de se concentrer sur un mantra, un symbole ou une visualisation pour pouvoir atteindre, ce que l'on appelle l'état d'absorption ou *samādhi*.

Dans l'état de samādhi, le sentiment d'être un « Moi » séparé disparaît pour ne laisser place qu'à l'objet de l'attention. La pratique de la concentration peut, poussée jusqu'à son objectif ultime, aboutir à l'union avec l'objet de la méditation. Si vous êtes passionné par le sport, l'objet en question peut être votre raquette de tennis ou votre club de golf, si vous êtes davantage porté sur la voie mystique, il peut être Dieu, l'être ou l'Absolu.

Même si vous ne connaissez pas encore les pratiques méditatives, vous avez certainement déjà connu des moments d'absorption totale, où s'efface la notion de séparation : contempler un coucher du soleil, écouter de la musique, créer une œuvre d'art ou simplement plonger son regard dans les yeux de l'être aimé. Lorsque vous êtes totalement impliqué dans une activité, quelle qu'elle soit, que le temps s'arrête et que la conscience baisse les armes, vous entrez dans un état que le psychologue Mihaly Csikszentmihalyi appelle le « *flux* ». Csikszentmihalyi prétend que les activités qui encouragent le « flux » incarnent ce que la plupart d'entre nous définissons comme le plaisir. Le flux peut s'avérer extraordinairement revigorant, vivifiant et très significatif. Il ne peut être que le résultat d'une concentration sans faille.

S'ouvrir à la conscience réceptive

Selon la pensée taoïste chinoise, le yin et le yang, les forces masculines et féminines, opposées et complémentaires en toute chose, déterminent comme modalités alternantes le fonctionnement de l'univers. Si la concentration est le yang de la méditation – focalisée, puissante et pénétrante –, la *conscience réceptive* est le yin : ouverte, large et accueillante.

Alors que la concentration dompte, calme et immobilise l'esprit, la conscience réceptive détend et repousse les frontières de la pensée, créant un espace intérieur plus vaste qui vous permet de vous familiariser avec le contenu de votre esprit. À l'inverse de la concentration qui fait obstacles aux stimulus extérieurs pour éviter toute distraction, la conscience réceptive accueille et intègre toutes les expériences qui surviennent.

Dans la plupart des méditations, on retrouve l'interaction entre la concentration et la conscience réceptive, à l'exception de certaines techniques plus avancées qui enseignent la pratique de la conscience réceptive seule. On pourrait ainsi résumer leur doctrine : « restez ouvert, conscient et accueillez tout ce qui survient, et vous serez "pris par la vérité" ». L'objectif ultime de cette pratique est de dépasser les pensées, émotions et histoires que vous raconte votre esprit pour découvrir votre véritable identité qui est votre vraie nature.

Il est évident que si vous ne savez pas travailler avec attention, ces instructions sont inutilisables. C'est pour cette raison que la concentration constitue la première étape de la plupart des traditions méditatives. Un esprit suffisamment calmé et immobilisé pour ne pas être emporté par un déluge de sentiments et de pensées hors propos dès qu'il s'ouvre est une base solide pour la pratique de la méditation.

Accéder à une meilleure vision intérieure par la contemplation

Si la concentration et la conscience réceptive procurent des bénéfices extrêmement importants, c'est au bout du compte la vision intérieure et la compréhension – de la façon dont fonctionne votre esprit et dont vous perpétuez votre souffrance, de votre attachement aux dénouements d'événements incontrôlables et fugaces – qui vous libèrent de la souffrance. Dans la vie quotidienne, la pensée créative – libérée des modèles de pensée répétitifs et limités – propose des solutions à ces problèmes. La *contemplation* représente donc le troisième élément clef, capable de transformer un exercice apaisant et relaxant en un moyen d'accéder à la liberté et à l'expression créative.

Lorsque vous aurez développé votre concentration et élargi votre conscience, vous découvrirez que vous avez accès à une vision intérieure plus pénétrante de l'essence de votre expérience. Vous pouvez utiliser cette faculté pour explorer votre demeure intérieure afin de parvenir à comprendre et annihiler les tendances de votre esprit à vous faire souffrir et vous stresser. Si vous êtes en quête de spiritualité, cette faculté peut vous aider à explorer l'essence du moi ou à réfléchir au mystère de Dieu et de la Création.

Cultiver des états d'esprit positifs et salutaires

Certaines pratiques méditatives se donnent pour objectif d'ouvrir le cœur et de développer des qualités comme la compassion, la bonté, la sérénité, la joie ou le pardon. D'un point de vue pratique, la méditation est utilisée pour cultiver un système immunitaire sain et dynamique ou pour développer assurance et précision dans un sport donné. Vous pouvez par exemple visualiser les cellules T destructrices attaquer votre cancer ou vous voir effectuant un plongon sans commettre la moindre erreur.

La contemplation vise à rechercher et étudier pour découvrir l'essence profonde des choses. Vous pouvez également transformer votre vie intérieure en dirigeant votre concentration pour renforcer des états mentaux positifs et sains et retirer de l'énergie à ceux qui ont tendance à être plus réactifs et autodestructeurs.

N'OUBLIEZ PAS

La pleine conscience :
la méditation comme mode de vie

Même si vous trouverez dans ce livre diverses techniques à découvrir et explorer, l'approche principale que j'ai choisie est celle que les Bouddhistes nomment la pleine conscience – attention continue de tout ce qui se produit à tout instant.

Mes nombreuses années d'expérience et d'entraînement m'ont conduit à considérer la pleine conscience, qui englobe la concentration et la conscience réceptive comme l'une des techniques les plus accessibles aux débutants et les mieux adaptées au rythme effréné auquel la plupart d'entre nous sont confrontés. Somme toute, ce qui vous intéresse en premier lieu, si vous êtes comme moi, c'est de rendre votre vie plus harmonieuse, pleine d'amour, et moins stressante et non d'atteindre un royaume spirituel désincarné, détaché des personnes et des lieux qui vous sont chers.

La beauté, les liens et l'amour que vous recherchez sont là, à portée de main. Il ne vous reste plus qu'à dégager votre esprit et ouvrir vos yeux, ce que la pratique de la pleine conscience va vous apprendre. Pendant vos moments d'attention, vous vous libérez de vos rêveries et des soucis créés par votre esprit pour revenir à la netteté, la précision et la simplicité du présent.

L'un des gros avantages de cette pratique est de ne pas nécessiter de lieux ou de moments spécifiques. Vous pouvez vous entraîner dans n'importe quel endroit, en marchant dans la rue par exemple, et à n'importe quelle heure. Il suffit tout simplement de prêter attention à ce qui se passe autour de vous.

Les faux voyages vers la méditation

Maintenant que vous avez acquis une vue d'ensemble du voyage méditatif, nous allons passer en revue les chemins qui ressemblent à la méditation mais qui conduisent dans une direction bien différente. Il est évident qu'exécutée en toute conscience ou avec concentration, n'importe quelle activité peut devenir méditation. On peut ainsi laver la vaisselle, conduire ou parler au téléphone avec méditation.
(Pour apprendre comment faire, reportez-vous au chapitre 7). Mais attention à la confusion, certaines activités finissent dans l'imagination populaire par devenir elles-mêmes des pratiques méditatives, de nombreuses personnes allant jusqu'à donner le nom de méditation à des activités comme lire le journal ou regarder leur feuilleton télévisé préféré. Bon, ai-je le droit de les contredire ?

Voici quelques-uns des ersatz de la méditation qui ont certainement leur place dans la liste des quêtes de loisirs mais qui ne procurent pas les bénéfices de la méditation

> ✔ **La pensée** : En Occident, le terme de « méditation » fait souvent référence à une réflexion longue et approfondie sur un thème ou sujet donné. Ne dit-on pas

« je vais méditer sur le problème » ? Même si la quête ou la contemplation d'un ordre supérieur joue un rôle dans certaines techniques méditatives, elle est très loin du processus souvent torturé et conflictuel qui se passe généralement pour la pensée. Autre point important : penser fatigue et consomme de l'énergie tandis que la méditation repose et revigore.

✔ **La rêverie** : La rêverie et l'imagination procurent des bénéfices et des plaisirs en elles-mêmes, permettant de temps en temps de vous aider à trouver des solutions ou tout du moins d'offrir un moment d'évasion dans une situation difficile ou ennuyeuse. Mais au lieu d'une impression d'espace ou d'un contact plus étroit avec votre être, comme l'aurait fait la méditation, la rêverie ne conduit bien souvent qu'à vous empêtrer davantage dans vos problèmes.

✔ **L'espacement** : Il arrive que l'espacement entraîne une trouée temporaire dans le flot ininterrompu des pensées et sensations qui inondent votre conscience, une sorte d'espace vide à l'intérieur duquel rien ne semble se produire à l'exception du fait d'être. Les vrais espacements se rencontrent au cœur de la méditation. Ils peuvent être cultivés et élargis à dessein. Malheureusement, la plupart des espacements ne sont qu'une forme particulière de rêveries !

✔ **La répétition d'affirmations** : Cette pratique courante du New Age – version contemporaine de ce que l'on appelait autrefois la pensée positive – vise à fournir un antidote à vos convictions négatives en les remplaçant par des certitudes positives. Mais la négativité est en général si profondément enracinée que les affirmations ne font qu'en effleurer la surface, ne pénétrant pas les profondeurs, là où réside le noyau des convictions.

✔ **L'auto-hypnose** : En décontractant progressivement votre corps et imaginant un lieu sûr et protégé, vous parvenez à un état ouvert et influençable dit de *transe légère* dans lequel vous pouvez préparer les situations à venir, revivre des évènements passés pour leur donner un aboutissement plus favorable et reprogrammer votre cerveau à l'aide d'affirmations. Si l'auto-hypnose diverge de la pleine conscience – la principale approche enseignée dans ce livre qui met l'accent sur l'attention continue portée au moment présent – elle est très proche des techniques de guérison ou d'amélioration des performances.

✔ **La prière** : La prière ordinaire ou requérante, c'est-à-dire celle qui en appelle à l'aide ou à la bonté divine, peut être pratiquée de façon méditative mais reste très différente de la méditation telle que je l'ai décrite. La prière contemplative ou oraison en revanche, – qui est une aspiration de l'âme à l'union avec Dieu – est en réalité une forme de contemplation intense dont le centre d'attention est Dieu.

✔ **Le sommeil** : Même s'il est très revigorant, le sommeil n'est pas une méditation – à moins d'être un spécialiste yôgi ! Des études ont montré que les ondes cérébrales générées pendant le sommeil étaient très différentes de celles produites pendant la méditation. Certes, il arrive souvent aux méditants de s'endormir. Mais comme le disait un de mes professeurs, qu'ils fassent de beaux rêves !

Manger un fruit

Pour ce petit exercice, imaginez que vous soyez fraîchement débarqué d'une lointaine planète et que vous n'ayez encore jamais mangé d'orange.

1. Placez une orange dans une assiette puis fermez les yeux.

2. Mettez de côté toutes vos pensées et idées préconçues, ouvrez les yeux et regardez le fruit comme si c'était la première fois.

Faites attention à sa forme, sa taille, sa couleur, sa texture.

3. Tout en commençant à la peler, soyez attentif aux sensations perçues par vos doigts, au contraste entre la chair et la pelure, au poids du fruit dans vos mains.

4. Amenez lentement l'orange jusqu'à vos lèvres et arrêtez-vous un instant avant de la manger.

Prenez le temps d'en sentir l'odeur.

5. **Ouvrez la bouche, mordez dedans et ressentez la texture de sa chair molle et le premier jet de jus envahir votre palais.**

6. **Continuez à mordre et à mâcher l'orange, en restant à chaque instant conscient de la palette de sensations.**

En imaginant que c'est la première et dernière orange qu'il vous sera à jamais donné de manger, faites de chaque instant un moment de fraîcheur, de nouveauté et de perfection. Comparez enfin cette expérience avec votre façon habituelle de consommer un fruit.

Chapitre 2

La méditation : pour quoi faire ?

· ·

Dans ce chapitre :

▷ En quoi la vie ne parvient-elle pas à répondre à vos attentes ?

▷ Quel est le prix à payer pour supporter ces changements rapides et constants ?

▷ La méditation : nouveau remède pour soulager des maux du XXIe siècle comme le stress, l'anxiété ou l'isolement

▷ Liste des nombreux bienfaits de la méditation

· ·

Comme beaucoup de gens, dont moi, vous avez peut-être envie avant de commencer une activité, de savoir ce que l'énergie et le temps dépensés vont vous rapporter. À quoi bon s'escrimer sur un step pendant une heure, suer sang et eau dans un cours d'aérobic si vous ne pouvez même pas espérer

perdre un peu de poids, vous étoffer ou améliorer
votre endurance ? Pourquoi perdre une soirée par
semaine dans un cours de cuisine gastronomique si
vous n'êtes pas capable de préparer un canard à
l'orange ou un pot-au-feu ?

Il en va de même avec la méditation.
Pourquoi consacrer quotidiennement 10 à 15, voire
20 minutes de votre temps si précieux pour suivre
votre souffle ou répéter inlassablement la même
expression, alors que vous pourriez faire un
jogging, vous relaxer devant la télé ou surfer sur
le Net ? Tout simplement à cause des innombrables
avantages de la méditation.

Avant d'étudier ces bénéfices plus en détail, nous
allons nous attacher à quelques uns des problèmes
que la méditation peut aider à résoudre.

Beaucoup considèrent leur vie « cassée » d'une
manière ou d'une autre. Il y a bien 1 ou 2 bonnes
raisons qui vous ont poussé à vous procurer
ce livre, par exemple ! Il est temps maintenant de
chercher ce que peuvent être certaines de ces
raisons.

Comment la vie conduit à la méditation

Même si vous avez du mal à l'admettre, tout du moins publiquement, votre vie ne répond pas toujours à vos attentes. Il en résulte une souffrance – due au stress, à la déception, à la peur, à la colère, à l'indignation, aux blessures infligées et à beaucoup d'autres émotions tout aussi désagréables. La méditation enseigne comment appréhender les circonstances difficiles et les émotions et tensions qu'elles engendrent avec équilibre, sérénité et compassion. Avant de décrire les solutions positives offertes par la méditation – soyez d'ors et déjà rassuré, elles sont nombreuses – j'aimerais vous emmener faire un tour d'horizon des problèmes que ces solutions ont pour objectif de résoudre.

Le mythe de la vie parfaite

Au cours de ma carrière de psychothérapeute et de professeur de méditation, j'ai remarqué que beaucoup de personnes souffraient uniquement parce qu'elles comparaient leur existence à une image idéalisée de ce que devrait être la vie. Amalgame hétéroclite de conditionnement infantile, de messages médiatiques et de désirs personnels, cette image erronée est tapie dans l'ombre et fait office de référence à laquelle tout succès, échec, évènement est comparé et jugé. Arrêtez-vous un instant pour analyser votre propre image de la vie.

Peut-être avez-vous consacré toute votre énergie à atteindre un statut et une position sociale confortables : deux enfants, une maison en banlieue (ou grande banlieue), une brillante carrière, bref, ce que Zorba le Grec nommait « le désastre total ». Après tout, c'est ce que vos propres parents avaient (ou au contraire n'avaient pas) et vous considérez que vous vous devez de réussir, pour eux et pour vous-même. Mais à présent, vous jonglez avec deux emplois pour pouvoir mettre de l'argent de côté et payer les crédits, votre mariage bat de l'aile et vous culpabilisez de ne jamais avoir de temps à consacrer à vos enfants.

Vous pensez peut-être que le bonheur suprême viendrait à vous si seulement vous parveniez à atteindre une silhouette ou un physique parfait. Le hic est que les régimes ne fonctionnent pas, que vous êtes fâché avec tout exercice et que vous avez envie de vous évanouir à chaque fois que vous vous regardez dans la glace. Ou bien, vous faites partie de ceux qui croient que le nirvana terrestre se trouve dans la relation parfaite.

Malheureusement, vous approchez la quarantaine, la personne que vous attendez ne se présente toujours pas et vous parcourez fébrilement les petites annonces de rencontres redoutant secrètement d'être atteint d'une terrible maladie sociale.

Peu importe l'image idéalisée que vous avez de la vie – amour parfait, santé de fer, paix sans nuage ni stress ni tension, vacances éternelles – vous payez très cher ces désirs inaccessibles. Lorsque la vie ne répond pas à vos attentes – ce qui se produit immanquablement – vous souffrez et vous vous tenez responsable de cet échec. (Faites-moi confiance, je suis tombé plusieurs fois dans le piège !). Si seulement vous aviez plus d'argent, plus de temps pour rester à la maison, un conjoint plus aimant, si vous pouviez reprendre vos études, perdre les kilos superflus... et on pourrait continuer ainsi à l'infini. Quoi que vous fassiez, vous avez l'impression de ne pas posséder les qualités requises.

N'oublions pas la petite minorité de ceux qui sont parvenus à obtenir tout ce qu'ils désiraient. Mais maintenant, ils s'ennuient et attendent encore plus de la vie – tout du moins lorsqu'ils ne consacrent pas tout leur temps et leur énergie à protéger et contrôler ce qu'ils ont déjà acquis !

Les grandes traditions méditatives délivrent un message plus humain : la vie idéale sur terre est un mythe. Comme le dit un vieux dicton chrétien « L'homme propose, Dieu dispose. » Ou dans sa version plus populaire « Si vous voulez faire rire Dieu, faites-lui part de vos projets ». Ces traditions rappellent qu'il existe dans l'univers des forces en jeu bien plus puissantes que vous et moi. Vous pouvez envisager, vouloir, lutter et tenter l'impossible pour contrôler ce que vous désirez – et même obtenir un succès minimum – à long terme, vous et moi n'avons qu'une maîtrise extrêmement limitée sur les évènements de notre propre vie !

Lorsque tout s'effondre

Accepter la vérité spirituelle que nous venons d'énoncer va peut être vous demander un peu de temps car elle va à l'encontre de tout ce qu'on vous a enseigné jusqu'ici. L'intérêt de la vie n'est-il pas de sortir et « just do it » (fais-le) comme l'exhorte la publicité pour Nike ? Oui, c'est vrai, vous devez suivre vos rêves et vivre votre vérité ; c'est une part essentielle du problème.

Comment réagissez-vous lorsque la vie vous boude ou vous gifle de plein fouet, comme cela arrive parfois? (Pensez aux skieurs qui s'entraînent pendant des années pour voir leurs espoirs anéantis par le mauvais temps ou une vulgaire plaque de verglas !) Vers quoi ou qui vous tournez-vous pour trouver secours et réconfort lorsqu'elle vous porte aux nues pour vous priver ensuite de tout ce qu'elle vous a donné, y compris la confiance et l'estime de soi si durement gagnées ? Comment gérez-vous la douleur et la confusion ? À quelles ressources intérieures faites-vous appel pour vous guider sur ce terrain inconnu et terrifiant ? Étudions maintenant l'histoire qui suit.

 Un jour, une femme vint voir le Bouddha (le grand maître spirituel qui vécut il y a environ 2 500 ans en Inde), portant dans les bras son enfant mort. Terrassée par le chagrin, elle avait erré ainsi, suppliant les médecins et ceux qu'elle rencontrait de lui redonner la vie. En dernier recours, elle demanda au Bouddha s'il pouvait l'aider.

> « Oui » lui répondit-il « mais vous devez d'abord m'apporter des graines de moutarde d'une maison où il n'y a jamais eu de mort. »

Remplie d'espoir, la femme frappa à toutes les portes mais personne ne fut en mesure de l'aider. Toutes les maisons avaient connu leur lot de deuils. Arrivée au bout du village, elle avait pourtant pris conscience que la maladie et la mort étaient inévitables. Après avoir enterré son fils, elle retourna voir le Bouddha pour y recevoir un enseignement spirituel. « Une seule loi dans l'univers est immuable » lui expliqua-t-il, « toutes les choses changent et sont provisoires ». À l'écoute de ces paroles, la femme devint disciple du Bouddha et arriva, dit-on, à l'Illumination.

La vie n'offre pas que la maladie et la mort ; elle procure aussi d'extraordinaires moments d'amour, de beauté, d'émerveillement, et de plaisir. Mais comme la femme de l'histoire, en Occident, nous avons tendance à occulter la partie sombre de la vie. Nous reléguons nos personnes âgées ou en fin de vie dans des maisons de repos ou des hospices, nous sommes devenus indifférents aux sans domicile, cantonnons les minorités appauvries dans des cités-ghettos, enfermons les handicapés dans des hôpitaux ou des asiles et tapissons nos panneaux d'affichage et nos couvertures de magasines de sourires radieux, incarnations de la jeunesse et de la prospérité.

Mais en vérité, la vie est une riche et curieuse inter-action entre l'ombre et la lumière, le succès et l'échec, la jeunesse et la vieillesse, le plaisir et la dou-leur et bien entendu la vie et la mort. Les événements changent tout le temps, semblant se désagréger à un moment donné pour se recomposer au suivant. Comme le décrit le maître zen Shunryu Suzuki, en permanence toute chose « est bouleversée dans un contexte d'équilibre parfait ».

Le secret de la sérénité ne se situe pas au niveau des événements eux-mêmes mais de la réponse que vous y apportez. Comme le disent les bouddhistes, souffrir est vouloir ce que l'on a pas et ne pas vouloir ce que l'on a et le bonheur est exactement l'inverse : savoir apprécier ce que l'on a sans désirer à tout prix ce que l'on a pas. Cela ne veut pas dire que vous devez aban-donner vos valeurs, vos rêves et vos aspi-rations – seulement que vous devez arriver à trouver un équilibre avec la faculté d'accepter les choses telles qu'elles sont.

La méditation vous donne l'occasion de cultiver cette faculté en vous apprenant à réserver votre jugement et à vous ouvrir à chaque nouvelle expérience sans tenter de la modifier ou de vous en débarrasser. Par la suite, lorsque les choses vont mal, vous pouvez vous servir de cette qualité pour calmer le jeu et retrouver la paix. (Pour savoir comment accepter les choses telles qu'elles sont, reportez-vous au chapitre 4.

Gérer les situations postmodernes difficiles

L'inconstance des conditions de vie n'est un secret pour personne – les pandits et les sages ont divulgué cette vérité depuis longtemps. Mais jamais encore les changements n'avaient été si envahissants et si incessants – touchant si profondément nos vies – qu'au cours des 10 à 15 années passées. Les journaux et la télévision nous inondent de statistiques et d'images de violence et de famine, de déprédation de l'environnement, d'instabilité économique, qui décrivent un monde de plus en plus décousu.

Plus concrètement, vous avez peut-être perdu votre travail à cause du rachat de votre entreprise, brisé votre couple suite à une mutation lointaine, été victime d'un crime violent ou perdu une petite fortune sur un marché volatil. Peut-être consacrez-vous toute votre énergie à chercher une solution pour garder une longueur d'avance dans un environnement de travail très compétitif ou peut-être ne dormez-vous plus la nuit, angoissé par la vague de changement qui pourrait venir vous emporter. Avez-vous reconnu (ou vivez-vous) l'une de ces situations ?

SAGESSE POPULAIRE

Apprécier le caractère éphémère des choses

Dans son livre *Pensées sans penseur*, le psychanalyste Mark Epstein raconte son enseignement par le maître de méditation Thai Achaan Chaa. « Vous voyez ce verre ? » demande Achaan Chan. « Pour moi, ce verre est déjà brisé. Je l'apprécie. Je bois dedans. Il garde admirablement bien mon eau, reflétant même parfois le soleil en de jolis dessins. Si je lui donne un petit coup, il produit un joli tintement. Mais lorsque je range le verre sur l'étagère et que le vent le renverse ou que je l'effleure sur la table avec ma manche et qu'il tombe à terre et se brise, je dis « évidemment ». Lorsque je comprend que ce verre est déjà cassé, chaque moment de sa présence est précieux. »

Les sociologues appellent cette période le *postmodernisme*. Le changement continuel y est érigé en mode de vie et les valeurs et vérités séculaires rapidement démantelées. Mais comment avancer dans la vie lorsqu'on ne sait même plus ce qui est vrai ni comment trouver la vérité ? Doit-on la chercher sur l'Internet, dans la bouche des prophètes du petit écran ?

En dépit des avantages incontestables de tous les gadgets électroniques devenus indispensables depuis les années 1980, vous avez peut-être remarqué que plus vous communiquiez vite, moins vous aviez de véritable contact riche et sérieux avec les autres. Un dessin humoristique paru dans l'hebdomadaire américain *Newsweek* illustre cette idée. Intitulé « les vacances des années 90 », on y voyait une famille sur la plage, chaque membre ayant en main son propre appareil électronique : la mère avec le portable, le père sur l'Internet, un des enfants réceptionnant un fax, un autre répondant à son bip-bip, un troisième écoutant son courrier vocal – tous inconscients de la présence des autres !

Ces changements incessants ont un prix émotionnel et spirituel élevé que l'on a tendance à démentir dans notre effort collectif pour accentuer l'aspect positif et nier le négatif. Voici quelques-uns des effets secondaires négatifs de la vie de notre époque :

✔ **L'anxiété et le stress** : lorsque le sol commence à trembler sous vos pieds, votre première réaction alors que vous essayez de rétablir votre équilibre, est de vous alarmer ou d'avoir peur. Cette réponse des tripes a été génétique- ment programmée par des millions d'années de vie dangereuse. Aujourd'hui, malheureusement, les secousses ne s'arrêtent plus et les petites peurs s'accumulent et se figent en tension et stress continuels. Votre corps se sent perpétuellement préparé à affronter la prochaine attaque de dif- ficultés et de responsabilités – l'empê- chant pratiquement de se relaxer et d'apprécier un tant soit peu la vie. En décontractant votre corps et réduisant votre stress, la méditation peut vous apporter une antidote bienvenue.

✔ **La fragmentation** : Autrefois, les gens vivaient, faisaient leurs courses, travaillaient, élevaient leurs enfants et se divertissaient au sein d'une même communauté. Tous les jours ils voyaient les mêmes visages, se mariaient pour la vie, gardaient le même emploi et voyaient même leurs enfants élever leurs propres enfants tout près d'eux. Aujourd'hui, beaucoup habitent loin de leur lieu de travail, les enfants sont confiés à des nourrices, des baby-sitters et nous sommes obligés de gérer les emplois du temps de chacun au téléphone ! Il est devenu de plus en plus improbable de garder le même travail toute sa vie, ni même d'ailleurs le même conjoint. Bien souvent, les enfants grandissent et partent à leur tour chercher du travail. S'il est impossible d'empêcher cette fragmentation, la méditation permet d'établir un lien avec une intégralité plus profonde que les événements extérieurs ne viennent pas perturber.

✔ **L'aliénation** : Ne soyez pas surpris de vous sentir totalement stressé si votre vie semble n'être constituée que de bric et de broc. En dépit des statistiques et indices de prospérité, nombreux sont ceux qui subsistent avec un travail purement alimentaire, qui ne sert qu'à payer les factures sans donner ni but ni sens des valeurs. La tendance actuelle serait à un retour dans les petites villes pour retrouver le sens de la communauté. À chaque élection, la désertion des bureaux de vote s'amplifie, de plus en plus de gens ne croyant plus en leur pouvoir de faire changer les choses. Jamais auparavant les hommes ne s'étaient sentis si aliénés, non seulement de leur travail et de leur gouvernement mais aussi des autres, d'eux-mêmes et de leur propre être essentiel. Et la plupart n'ont pas la capacité ou le mode d'emploi pour se reconnecter ! En comblant le gouffre qui nous sépare de nous-même, la méditation permet de guérir notre aliénation envers les autres et le monde dans son ensemble.

✔ **La solitude et l'isolement** : la difficulté de trouver un emploi, l'éclatement des ménages et le manque de temps a abouti à l'éloignement des membres de la famille qui perdent contact avec

ceux qu'ils connaissent et chérissent.
J'ai entendu récemment sur une radio
américaine une publicité vantant les
méritent d'un pack Net pour la famille.
Puisque les dîners en famille étaient
devenus obsolètes, pourquoi ne pas
acheter un Family Net – un téléphone
portable pour le père, la mère et
les enfants afin qu'ils puissent rester
en contact ! Difficile de résister aux
forces qui nous séparent ! Grâce à
la méditation, chaque moment
ensemble se transforme en un moment
« de grande qualité ».

✔ **La dépression** : la solitude, le stress,
l'aliénation, l'absence de sens ou
d'objectif profondément ancré conduisent certaines personnes à la dépression. Dans un pays recordman de la
consommation de tranquillisant et
d'antidépresseurs ou le Prosac® est
devenu un terme ménager, plusieurs
millions de personnes avalent quotidiennement des médicaments psycho-
tropes pour ne pas souffrir de la vie
moderne. La méditation, elle, vous aide
à vous connecter avec votre source

intérieure de bien-être et de joie qui dissipe naturellement les nuages de la dépression.

SAGESSE POPULAIRE

Accepter les choses telles qu'elles sont

Voici une histoire tirée de la tradition zen.

Il était une fois un pauvre fermier qui avait perdu son unique cheval. Alors que ses amis et ses voisins déploraient son malheur, il restait imperturbable. « Nous verrons bien » dit-il avec un sourire énigmatique.

Plusieurs jours plus tard, son cheval réapparut accompagné de cinq étalons sauvages qu'il avait rencontré en chemin. Ses voisins se réjouirent de sa bonne fortune mais il ne semblait pas très enthousiaste. « Nous verrons bien » répéta-t-il.

La semaine suivante, alors qu'il essayait de monter et d'apprivoiser l'un des étalons, son fils unique bien-aimé tomba et se cassa la jambe. Les voisins toujours aussi attentionnés en étaient chagrinés mais le fermier, qui réconforta et soigna pourtant son fils, ne s'inquiétait pas pour l'avenir. « Nous verrons bien » commenta-t-il.

À la fin du mois, le seigneur local de la guerre arriva dans le village du fermier

---

Accepter les choses telles qu'elles sont *(suite)*

pour enrôler tous les jeunes gens valides afin de combattre dans la dernière campagne. Quant au fils du fermier… je vous laisse terminer l'histoire.

Pour le cas où vous ne le sauriez pas encore, la vie ressemble à un voyage sur des montagnes russes dont il est impossible de maîtriser les hauts et les bas. Si vous voulez garder votre repas – et votre équilibre mental – il vous faut apprendre à conserver votre tranquillité d'esprit.

✔ **Les maladies liées au stress** :
. L'augmentation progressive des maladies liées au stress – qu'il s'agisse de céphalées hypertensives, de brûlures d'estomac, de maladies cardiaques ou de cancers – reflète notre incapacité collective à gérer l'instabilité et la fragmentation de notre époque. Elle alimente en outre l'industrie pharmaceutique qui ne parvient à masquer que par moments les problèmes plus profonds de peur, de stress et de désorientation. Comme l'ont montré bon nombre d'études scientifiques,

la pratique régulière de la méditation permet de renverser les attaques de maladies liées au stress. (Reportez à la section intitulée « Comment survivre au XXIᵉ siècle – avec la méditation » plus loin dans ce chapitre.)

Quatre « solutions » en vogue qui ne fonctionnent pas vraiment

Avant d'achever la litanie des malheurs du postmodernisme et de vous proposer des solutions qui marchent, j'aimerais que nous survolions quelques approches très prisées de gestion du stress et de l'incertitude qui créent plus de problèmes qu'elles n'en résolvent.

✔ **La dépendance** : En détournant les personnes de leurs souffrances, en les encourageant à laisser de côté leurs soucis et préoccupations et en modifiant la chimie du cerveau, la dépendance imite certains des bénéfices de la méditation. Malheureusement, elle fixe l'esprit sur une substance ou une activité dont on ne peut plus se défaire

– drogues, alcool, sexe, jeu etc. Il devient alors plus difficile de s'ouvrir aux merveilles du moment ou d'entrer en contact avec une dimension plus profonde de l'être. La majorité des dépendances entraînent un mode de vie autodestructeur qui aboutit à une intensification des problèmes que la personne voulait au départ fuir.

✔ **Le fondamentalisme** : en proposant une réponse simple et superficielle aux problèmes complexes, un sens et un sentiment d'appartenance et en rejetant un grand nombre des fléaux évidents du postmodernisme, le fondamentalisme – tant dans sa forme religieuse que politique – offre un refuge contre l'ambiguïté et l'aliénation. Les fondamentalistes divisent malheureusement le monde en deux blocs : le blanc et le noir, le bon et le mauvais, nous et les autres, ce qui ne fait en fin de compte d'attiser l'aliénation, les conflits et le stress.

✔ **Les divertissements** : Lorsque vous vous sentez seul ou aliéné, il vous suffit d'allumer la télé ou de vous rendre

au cinéma le plus proche et de vous
jeter sur la dernière nouveauté. Cela
calme votre anxiété et apaise votre
souffrance. En plus de divertir, les
médias donnent l'impression de
recréer un esprit communautaire en
établissant un contact entre les gens
et le monde autour d'eux. Mais il est
impossible d'avoir une conversation à
cœur ouvert avec une vedette de
télévision ni d'embrasser son acteur
préféré ! Sans oublier que les médias –
intentionnellement ou non – manipu-
lent nos émotions, remplissent nos
têtes d'idées et d'images issues de la
culture populaire et dirigent notre
attention en dehors de nous-même –
au lieu de nous donner la possibilité
de découvrir ce que nous savons, pensons et éprouvons vraiment.

✔ **Le consumérisme** : le consumérisme
est une réponse fausse aux maux de la
vie, fondée sur la croyance que la solution consiste à vouloir et avoir toujours plus – plus de nourriture, plus de
biens, plus de vacances, plus de tout
ce que les cartes de crédit peuvent

acheter. Comme vous l'avez déjà peut-être compris, le plaisir s'estompe vite et vous planifiez activement votre prochain achat - à moins que vous n'essayiez de trouver un moyen de régler les factures de cartes de crédits qui tombent avec une précision d'horloge à la fin de chaque mois. J'en ai dit assez ?

Comment survivre au XXIe siècle – avec la méditation

Et maintenant passons enfin aux bonnes nouvelles ! Comme nous l'avons déjà vu dans ce chapitre, la méditation apporte un antidote bienvenu à la fragmentation, l'aliénation l'isolement et le stress – et même aux maladies liées au stress et à la dépression. Elle ne va certes pas résoudre vos problèmes extérieurs mais elle vous aidera à développer la résistance intérieure, l'équilibre et la force pour trouver des solutions créatives.

 Pour avoir une idée du fonctionnement de la méditation, imaginez que votre corps et votre esprit constituent un ordinateur complexe. Au lieu d'être programmé pour ressentir la paix intérieure, l'harmonie, la sérénité et la joie, vous avez été programmé pour répondre aux inévitables hauts et bas de la vie avec stress, anxiété et frustration. Mais vous avez la capacité de modifier votre programmation. En mettant de côté toutes les autres activités, en vous asseyant tranquillement et en vous adaptant au moment présent pendant 10 à 15 minutes chaque jour, vous construisez un ensemble de nouvelles réponses et vous vous programmez pour connaître des émotions et des états mentaux plus positifs. (Pour en savoir plus sur la pratique même de la méditation, voyez le chapitre 6.)

Si la comparaison avec l'ordinateur est trop rebutante, imaginez que la vie soit un océan, dont les vagues agitées et bouillonnantes en surface représentent les hauts et les bas de la vie. Grâce à la méditation, vous plongez en profondeur pour trouver une eau plus calme et homogène.

La méditation est un moyen de transformer le stress et la souffrance en sérénité et tranquillité d'esprit. Dans cette section, vous allez voir comment les méditants cueillent depuis des millénaires les fruits de leur pratique et comment vous aussi pouvez y parvenir !

Une technologie de pointe pour l'esprit et le cœur

Le monde occidental a traditionnellement mis l'accent sur la réussite extérieure tandis que le monde Oriental privilégiait le développement intérieur. Les grandes découvertes scientifiques et technologiques de ces 500 dernières années sont nées en Occident pendant que les yôgis et les rôshis des monastères et ashrams d'Orient cultivaient l'art intérieur de la méditation. (Pour plus d'informations sur l'histoire de la méditation, voir le chapitre 3.) À l'heure actuelle, les courants de l'Orient et de l'Occident, du nord et du sud se sont rejoints et mélangés pour former une économie et une culture mondiales naissantes. Il est devenu possible d'appliquer la « technologie » intérieure de l'Orient pour compenser les excès des innovations technologiques rapides de l'Occident !

Comme les informaticiens sur leurs ordinateurs, les grands maîtres de la méditation ont au cours des siècles travaillé la faculté de programmer leur corps, leur esprit et leur cœur afin de connaître les états très raffinés de l'être. Alors qu'en Occident, nous cartographions les cieux et inaugurions la Révolution Industrielle, ils accomplissaient de leur côté de véritables prouesses :

- ✔ L'accès à visions intérieures pénétrantes dans la nature de l'esprit et dans le processus par lequel il crée et perpétue la souffrance et le stress

- ✔ L'atteinte d'états profonds d'absorption extatique au cours desquels le méditant est totalement immergé, en union avec le Divin

- ✔ La sagesse de différencier la réalité relative et la dimension sacrée de l'être

- ✔ Une paix intérieure inébranlable que les circonstances extérieures ne peuvent perturber

- ✔ La culture d'états mentaux positifs, bénéfiques et nécessaires à la vie comme la patience, l'amour, la bonté,

la sérénité et joie et – tout spécialement – la compassion pour les souffrances des autres

- ✔ La faculté de maîtriser les fonctions
corporelles habituellement considé-
rées comme involontaires, comme
le rythme cardiaque, la température
corporelle et le métabolisme

- ✔ La capacité de mobiliser et déplacer
l'énergie vitale à travers les différents
centres et canaux du corps pour guérir
ou conduire à une transformation
personnelle

- ✔ Le développement de pouvoirs
psychiques extraordinaires comme la
clairvoyance (faculté de perception
extrasensorielle qui permet de pénétrer la pensée d'autrui) et la *télékinésie*
(faculté de déplacer des objets sans
contact)

Les grands méditants d'autrefois utilisaient
ces qualités afin de parvenir à se libérer de la souffrance, soit en se retirant du monde pour rejoindre
une réalité plus élevée, soit en parvenant à des
visions pénétrantes de la nature de l'existence.

Les techniques méditatives qu'ils ont mises au
point – largement disponibles en Occident depuis
deux décennies – peuvent être utilisées dans des
formes ordinaires et quotidiennes par des gens
comme vous et moi.

Les bénéfices psychophysiologiques de la méditation

Si les premières études scientifiques sur la méditation remontent aux années 30-40, il faut attendre
les années 70 pour voir apparaître les premières
études sur leurs effets psychophysiologiques, suscitées par l'intérêt naissant pour la méditation transcendantale, le zen et autres pratiques méditatives
orientales. Depuis lors, le nombre d'études n'a
cessé de croître de par le monde. Dans leur livre
intitulé *The Physical and Psychological Effects of
Meditation*, Michael Murphy et Steven Donovan ont
procédé à une synthèse des études publiées
jusqu'alors.

Murphy, auteur du best-seller *Golf dans le royaume*
a travaillé le premier sur l'exploration du potentiel
humain depuis qu'il a co-fondé le *Esalen Institute* à
Big Sur, en Californie en 1962 (Esalen est considéré

comme le lieu de naissance du mouvement pour le potentiel humain).

Donovan, ancien président et directeur général d'Esalen a dirigé le *Institute's Study of Exceptional Functioning*. À partir des résultats de leurs études, Murphy et Donovan sont parvenus à dégager les bénéfices suivants pour le corps et l'esprit.

À l'écoute de son corps

Comme M. Duffy dans l'œuvre de James Joyce *Ulysse*, la plupart d'entre nous « vivent à une courte distance » de leur corps. La méditation suivante, ont on trouve des équivalences dans le yoga et le bouddhisme, aide à rétablir le contact avec le corps en portant l'attention sur chaque partie corporelle. En cultivant la conscience et relaxant les muscles et les organes internes, elle constitue un excellent préambule à une pratique méditative plus formelle. Consacrez au moins 20 minutes à cet exercice.

1. Couchez-vous sur le dos sur une surface confortable – pas trop toutefois à moins d'avoir l'intention de dormir par la suite.

2. Prenez le temps de sentir votre corps dans son ensemble, sans oublier les points en contact avec le lit ou le sol.

À l'écoute de son corps *(suite)*

3. **Portez votre attention sur les orteils du pied droit**

   Soyez sensible à toutes les sensations ressenties dans cette partie du corps. Si vous ne ressentez rien, attachez vous à « ne rien sentir ». Pendant que vous respirez, imaginez que vous inspiriez et expiriez par les orteils. (Si cela vous semble étrange ou inconfortable, contentez-vous de respirer normalement.)

4. **Lorsque vous en avez terminé avec les orteils, faites de même avec la plante des pieds, le talon, le dessus du pied, la cheville, en étant** attentif aux sensations perçues dans chacune des parties comme vous l'avez fait pour les orteils.

   Prenez votre temps. L'objectif de cet exercice n'est pas d'arriver à quoi que ce soit, ni même de vous relaxer mais d'être aussi présent que possible en quelque endroit que vous soyez.

5. **Remontez progressivement le long de votre corps en accordant au moins 3 à 4 respirations à chaque partie.**

   Suivez cet ordre : mollet droit, genou droit, cuisse droite, hanche droite, orteils gauches, pied gauche, mollet gauche,

À l'écoute de son corps *(suite)*

genou gauche, cuisse gauche, hanche gauche, bassin, bas du ventre, bas du dos, plexus solaire, haut du dos, poitrine, épaules ; concentrez-vous ensuite sur les doigts, les mains et les bras des deux côtés puis sur le cou, la gorge, le menton, les mâchoires, le visage, l'arrière de la tête et le sommet du crâne.

Parvenu au sommet du crâne, vous aurez peut-être l'impression que les frontières entre vous et le reste du monde sont devenues plus fluides ou se sont évanouies. En même temps, vous vous sentirez peut-être silencieux et calme – comme libéré de votre agitation habituelle.

6. Reposez-vous pendant quelques instants ; puis prenez progressivement conscience de votre corps dans son ensemble.

7. Remuez les orteils, bougez les doigts, ouvrez les yeux, balancez-vous doucement d'un côté à l'autre puis asseyez-vous doucement.

8. Autorisez-vous quelques instants pour vous étirer et revenir dans le monde qui vous entoure avant de vous lever et de vaquer à vos occupations.

Les bénéfices physiologiques :

- Le ralentissement du rythme cardiaque pendant la méditation silencieuse

- Une diminution de la tension artérielle chez les sujets normalement ou modérément hypertendus

- Un rétablissement plus rapide après une période de stress

- Une augmentation du rythme alpha (activité électrique cérébrale lente et de haute amplitude qui apparaît lors du repos ou de la relaxation)

- Une meilleure synchronisation (c'est-à-dire un fonctionnement simultané) des deux hémisphères gauche et droit du cerveau (qui pourrait être en corrélation avec la créativité)

- Une diminution des taux de cholestérol sérique

- Une consommation plus faible d'énergie et d'oxygène

- Une respiration plus profonde et plus lente

↳ La relaxation des muscles

↳ Une réduction de l'intensité de la douleur

Les bénéfices psychologiques :

↳ Une meilleure empathie

↳ Une meilleure créativité et réalisation de soi

↳ Une précision et une sensibilité perceptives accrues

↳ Une régression de l'anxiété chronique ou aiguë

↳ Un complément à la psychothérapie et aux autres approches dans le traitement de la dépendance

Promouvoir les bénéfices de la méditation

Même si les chercheurs occidentaux étudient les bienfaits de la méditation depuis plus d'un demi-siècle, trois personnes ont joué un rôle capital dans la promotion des pratiques méditatives en démontrant au grand public les bénéfices pour la santé

✔ **Herbert Benson et son livre intitulé *The Relaxation Response* :** Cardiologue et professeur de médecine à l'école de médecine de Harvard, Benson fut le premier à étudier le domaine de la psycho-physiologie avec la publication de son best-seller *The Relaxation Response* en 1975. En se fondant sur son étude des adeptes de la méditation transcendantale, il identifie un mécanisme de réflexe naturel qui se déclenche après 20 minutes de pratique quotidienne de la méditation dans un environnement calme, avec la répétition d'un bruit ou d'une expression, une attitude réceptive et une position assise.

Une fois initié, ce réflexe induirait la relaxation, la réduction du stress et contrerait la réponse fuite ou affrontement. Au cours d'études ultérieures, Benson a

Promouvoir les bénéfices de la méditation

découvert un effet bénéfice de cette réponse relaxante sur l'hypertension, les maux de tête, les maladies cardiaques, la consommation d'alcool, l'anxiété et le syndrome prémenstruel (SMP).

✔ **Jon Kabat-Zinn et la théorie de la réduction du stress fondée sur la Pleine Conscience.**

Depuis 1979, date à laquelle il fonde la Stress Reduction Clinic à l'Université du Massa-chusetts Medical Centre, Kabat-Zinn et ses collègues ont enseigné à des milliers de patients souffrant de maladies diverses les fondements de la pratique bouddhiste de la Pleine Conscience et du Hatha-yoga. Les études menées ont montré que les 8 semaines de programme incluant des cours théoriques, des devoirs à la maison et un atelier de méditation d'une journée permettaient aux participants de réduire le stress à l'origine de leurs maladies et leur apprenaient comment élargir les bénéfices de la pleine conscience à tous les aspects de leur vie quotidienne.

✔ **Dean Ornish et le programme d'ouverture du cœur :** Dans une étude décisive publiée dans le *Journal of the American*

Promouvoir les bénéfices de la méditation

Medical Association, Ornish, nutritionniste et directeur du Preventive Medecine Research Institute, institut à but non lucratif, montrait que les patients pouvaient véritablement inverser leur maladie cardiaque grâce à des changements radicaux de mode de vie et sans l'aide de la chirurgie ou de traitement contre le cholestérol. Même si ce programme prônait également, la pratique d'une activité physique, une alimentation faible en graisses et le Hatha-yoga pour une meilleure santé, la clef de la guérison était selon Ornish dans l'ouverture du cœur par le biais de la méditation qui nous aide à nous débarrasser de nos comportements habituels de stress et de réactivité émotionnelle.

Onze autres raisons encore meilleures de méditer

Inutile, pour profiter vous aussi des bienfaits de la méditation, de rejoindre un culte, de vous faire baptiser ou de faire votre bar mitzvah. Pas besoin non plus d'abandonner votre vie quotidienne pour rejoindre un monastère dans le lointain Himalaya. Il vous suffit de pratiquer régulièrement la méditation sans chercher à arriver quelque part ni à quelque chose de précis. Comme les intérêts sur un compte de marché monétaire, les bénéfices s'accumulent tous seuls. Les voici :

> ✔ **La prise de conscience du moment présent**
>
> Si vous ne faites que courir à en perdre haleine du présent au futur, anticipant le problème à venir ou dans l'attente anxieuse d'un autre plaisir, vous ratez la beauté et l'immédiateté du présent. Grâce à la méditation, vous apprendrez à ralentir votre rythme et prendre chaque instant comme il vient – les bruits de la circulation, l'odeur des habits neufs, le rire d'un enfant, l'air inquiet qui se lit sur le visage d'une vieille femme, votre respiration. En fait, comme nous le rappelle la tradition méditative, seul existe le moment présent – le passé appartient à la mémoire et le futur n'est qu'un rêve projeté sur l'écran de l'esprit à un moment donné.

✔ Entrer en amitié avec soi-même

Si vous consacrez toute votre énergie à vous montrer digne d'une image et d'une attente (imposée par vous ou les autres) ou à vous remettre en question pour survivre dans un environnement compétitif, vous avez rarement l'occasion ou même le désir d'apprendre à connaître la personne que vous êtes vraiment. Le doute ou la haine de soi peuvent alors apparaître pour vous pousser à vous améliorer mais ces sentiments sont douloureux et contribuent à faire naître des états mentaux négatifs comme la peur, la colère, la dépression, l'aliénation qui vous empêchent d'atteindre votre potentiel. La méditation vous apprend à accepter toutes les expériences et facettes de votre être sans y apporter ni jugement ni rejet. Vous commencez alors à vous traiter comme vous le feriez d'un ami proche ; acceptant (et même aimant) la personne dans son ensemble, avec ses qualités et ses forces mais aussi ses faiblesses et ses défauts.

✔ Approfondir le contact avec les autres

En prenant conscience du moment présent, en ouvrant votre cœur et votre esprit à votre propre expérience, vous devenez tout naturellement capable de mettre tous ces acquis à profit dans vos relations avec vos proches. Comme tout le monde, vous avez peut-être tendance à reporter vos propres désirs et attentes sur les autres, formant une barrière à une vraie communication. Mais lorsque vous acceptez les autres tels qu'ils sont, vous ouvrez tous les canaux permettant une intimité et un amour plus profonds entre eux et vous.

✔ Détendre le corps et apaiser l'esprit

Comme l'ont découvert les médecins actuels – et comme il est dit dans les textes traditionnels – le corps et l'esprit sont inséparables et lorsque l'esprit est agité le corps est stressé. Si vous parvenez à calmer, détendre et ouvrir l'esprit pendant la méditation, le corps fera de même. Plus vous méditez – ce qui comprend à la fois le nombre de minutes consacré quotidiennement à la méditation mais aussi à une pratique régulière au fil des jours et des semaines – plus ce sentiment de paix et de relaxation se fera sentir dans toutes les domaines de votre vie, y compris la santé.

Vers la lumière

Peut-être avez-vous remarqué que lorsque vous n'arriviez pas à faire cesser votre inquiétude ou le cheminement de votre pensée, vous parveniez à une sorte de claustrophobie intérieure – l'angoisse génère l'angoisse, les problèmes semblent progresser de façon exponentielle – qui conduit invariablement à un sentiment d'accablement et de panique. La méditation favorise une grandeur mentale intérieure dans laquelle les difficultés ne semblent plus aussi menaçantes et des solutions deviennent envisageables ainsi qu'un certain détachement qui facilite une plus grande objectivité, une perspective et même, oui, le sens de l'humour.

✔ La concentration et le flux

Lorsque vous êtes si absorbé par une activité que tout sentiment de conscience, de séparation et de distraction disparaît, vous êtes entré dans ce que le psychologue Mihaly Csiksezntmihalyi nomme « l'état de flux » (voir chapitre 1). Chez les hommes, cet état d'immersion totale représente le plaisir suprême et procure l'antidote fondamental contre la fragmentation et l'aliénation de la vie postmoderne. Vous avez à n'en pas douter déjà connu des moments de ce type – soit par le biais du sport, ou de la création d'une œuvre d'art, soit en jardinant ou en faisant l'amour. Les athlètes surnomment ce moment « la zone ». La méditation permet d'accéder à une telle concentration dans toutes nos activités et d'en tirer les mêmes profits.

✔ Se sentir plus solidement ancré et équilibré

Pour pallier l'insécurité grandissante de la vie dans une période de bouleversements perpétuels, la méditation offre un ancrage intérieur et un équilibre que les circonstances extérieures ne peuvent atteindre. Lorsque vous apprenez à toujours revenir à vous – à votre corps, votre respiration, vos sensations et vos sentiments – vous finissez par comprendre que vous êtes toujours chez vous, quel que soit l'endroit où vous vous trouvez. Entrer en amitié avec soi-même, accepter la nuit et la lumière, le faible et le fort permet de ne plus jamais être déstabilisé par les frondes et les flèches de la vie.

✔ Améliorer les performances au travail ou dans les loisirs

Des études ont montré que des pratiques méditatives de base pouvaient à elles seules, améliorer la clarté de perception, la créativité, la réalisation de soi et nombre d'autres facteurs entrant en ligne de compte dans la réussite. Il a aussi été prouvé que certains types de méditations augmentaient les performance dans diverses activités, tant sportives que scolaires.

✔ Développer l'estime, la gratitude et l'amour

En apprenant à considérer votre expérience sans jugement ni aversion, votre cœur s'ouvre progressivement – à vous-même et aux autres. Certaines méditations servent à cultiver l'estime, la gratitude et l'amour. Il se peut aussi, à l'image de bien des méditants avant vous, que ces qualités surgissent d'elles-mêmes lorsque vous regardez le monde avec un regard neuf, libéré des prévisions et espoirs habituels.

✔ Avoir un but plus profond

Lorsque vous vous entraînez à passer de l'action et de la pensée au seul fait d'être (voir chapitre 1), vous découvrez comment répondre à un sens et un sentiment d'appartenance plus profondément enfouis. Vous touchez des aspirations et des sentiments personnels restés longtemps cachés de votre conscience ou encore une source plus universelle de but et de direction – ce que certaines personnes nomment le moi supérieur ou le guide intérieur.

✔ Prendre conscience d'une dimension spirituelle de l'être

Au fur et à mesure que la méditation vous ouvre à la subtilité et à la richesse de chaque moment fugace mais irremplaçable, la réalité sacrée au cœur des choses apparaîtra naturellement à travers le voile des apparences. Puis, un jour peut-être (mais cela peut vous prendre la vie entière) vous réaliserez que cette vérité sacrée représente en fait qui vous êtes au fond de vous-même. Cette compréhension profonde, qui correspond pour les sages et les maîtres à « remonter depuis l'illusion de la séparation » brise et finit par éliminer la solitude et l'aliénation pour vous ouvrir à la beauté de la condition humaine.

EXERCICE

Travailler sur une habitude

Prenez une habitude dont vous voulez vous débarrasser sans y parvenir. Ce peut être le tabac, le café ou la nourriture industrielle. La prochaine fois que vous succombez, au lieu de vous détacher ou de rêver éveillé, transformez cet instant en méditation. Prenez conscience de la fumée qui pénètrent à l'intérieur de vos poumons. Notez comment votre corps réagit. Dès que votre esprit s'égare, notez où il vous entraîne – vos fantasmes préférés l'accom-pagnent peut-être – puis recentrez-le doucement vers l'exercice.

N'essayez ni d'arrêter ni de modifier cette habitude ; procédez comme d'ordinaire mais en étant conscient de ce que vous faites. La fois suivante, notez scrupuleusement vos sensations. Avez-vous remarqué un quelconque changement ? Que consta-tez-vous cette fois-ci que vous n'aviez pas relevé auparavant ?

Chapitre 3

Les origines de la méditation

• •

Dans ce chapitre :

▶ Retrouver les racines indiennes de la méditation

▶ Comparer Yoga et méditation

▶ Découvrir les secrets sensuels des tantra

▶ Étudier la renaissance de la méditation dans le Judaïsme et le Christianisme

▶ Retrouver les traces de la méditation en France et en Europe

• •

Qu'évoque pour vous le mot méditation ?
L'image d'un moine ou un yôgi asiatique vêtu d'un pagne ou d'une robe, assis les jambes croisées et plongé dans une profonde concentration ?
La méditation fut sans aucun doute confinée à une époque aux temples, monastères et grottes de

l'Orient et du Proche-Orient, puis et – c'est tant mieux pour vous et moi – s'est progressivement introduite en Occident il y a une centaine d'années. Elle apparaît néanmoins sous une forme différente et moins visible dans la tradition judéo-chrétienne. Saviez-vous par exemple que beaucoup de prophètes de la Bible méditaient ? Ou encore que Jésus lui-même avait accompli une forme de méditation lors de sa retraite de 40 jours dans le désert ?

La pratique de la méditation remonte à nos premiers ancêtres qui contemplaient avec émerveillement le ciel nocturne, restaient des heures durant tapis dans les buissons à l'affût du gibier, ou s'asseyaient perdus dans leurs rêveries autour des feux collectifs. Parce que la méditation demande simplement d'*être* sans agir ni penser (pour en savoir plus sur « le fait d'être », reportez-vous au chapitre 1), nos aïeux avaient une longueur d'avance sur nous ! Leurs vies étaient après tout plus simples, leur pensée plus rudimentaire et leur rapport avec la nature et le sacré beaucoup plus fort.

S'il n'est pas indispensable pour méditer de savoir d'où vient cette pratique, suivre son développement permet néanmoins de la replacer dans un contexte historique et spirituel. Je vous emmène

donc maintenant à la découverte de l'évolution
de la méditation en tant que pratique sacrée dans
divers endroits du monde.

Les chamans : les premiers grands méditants

Longtemps avant l'époque du Bouddha, ou des grands yôgis de l'Inde, les chamans des peuples de chasseurs-cueilleurs de tous les continents utilisaient des pratiques méditatives pour entrer dans un état modifié de conscience appelé transe. Conduits par le bruit du tambour, une psalmodie rythmée, des pas de danse répétés et parfois des plantes hallucinogènes, ces puissants personnages spirituels (hommes et femmes) abandonnaient leur corps pour rejoindre « le monde des esprits ». Ils en reve-naient chargés de sagesse sacrée, de facultés de guérison, de pouvoirs magiques et de bénédictions des esprits pour la tribu.

On a retrouvé des peintures rupestres datant d'au moins 15 000 ans représentant des personnages couchés à terre dans une absorption méditative. Selon les spécialistes, ils représentaient des chamans en état de transe, demandant aux esprits de leur accorder une chasse fructueuse. D'autre peintures rupestres de la même période à peu près

Les chamans : les premiers grands méditants

évoquent des chamans transformés en animaux – pratique typique encore en vigueur de nos jours. (Selon vos convictions, vous pouvez rejeter cette expérience comme produit d'une imagination surexcitée mais les chamans et leurs adeptes sont convaincus que de telles transformations ont bel et bien lieu).

Si le chamanisme déclina avec le passage de la chasse et de la cueillette à l'agriculture, les chamans jouent encore le rôle de guérisseurs, de guides pour les morts et d'intermédiaires entre les humains et les esprits dans des régions de Sibérie, d'Amérique du Nord, du Mexique, d'Amérique du Sud, d'Afrique, d'Australie, d'Indonésie et d'Asie. Au cours de ces dernières années, grâce aux écrits de Carlos Castaneda, Michael Harner et Joseph Campbell, de plus en plus d'Occidentaux se sont intéressés au chamanisme – certains étant même devenus eux-mêmes chamans.

Les racines indiennes

C'est en Inde que se trouvent les plus profondes racines de la méditation avec les *sâdhus* (hommes et femmes sacrés ayant renoncés à toute attache matérielle pour se consacrer à la recherche spiri-tuelle) et les *yôgis* qui ont cultivé une forme ou une autre de méditation depuis plus de 5 000 ans. L'Inde a fourni un sol fertile sur lequel les arts méditatifs se sont épanouis avant de se diffuser en Orient et en Occident. Ce phénomène est attribuable au climat qui ralentit le rythme de la vie, à la mousson qui contraint les gens à passer plus de temps chez eux ou simplement à une lignée ininterrompue de méditants tout au long des siècles.

Dans les *Védas*, premiers textes écrits indiens, on ne trouve même pas de mot pour la méditation mais les prêtres védiques accomplissaient des rites et des chants complexes destinés aux dieux qui requéraient une immense concentration. Peu à peu, ces pratiques se sont transformées en une sorte de méditation pieuse alliant les techniques de contrôle du souffle et la focalisation dévote envers le Divin. (Pour en savoir plus sur la focalisa-tion, voyez le chapitre 1). Plus les prêtres fouillaient en profondeur, plus ils se rendaient compte que l'adorateur et l'objet adoré, l'être individuel et l'être divin lui-même ne faisaient qu'un – une vision intérieure profonde qui a continué à inspirer et instruire les personnes en quête de spiritualité de tous les temps.

C'est du jardin de la spiritualité védique et post-védique qu'ont germé trois des traditions méditatives les plus connues de l'Inde : le yoga, le bouddhisme et le tantrisme.

Le yoga classique : le chemin de l'union sacrée

Qu'évoque pour vous le mot yoga ? L'image d'une personne s'étirant et se contorsionnant dans des positions invraisemblables ? Même si vous pratiquez le hatha-yoga, vous pouvez très bien ignorer que ces « postures » ne sont qu'une facette du chemin traditionnel du yoga classique qui englobe également le contrôle du souffle et la méditation.

L'art du mantra

Comme l'explique Herbert Benson dans ouvrage *The Relaxation Response*, la répétition méditative d'un mantra a pour effet d'apaiser l'esprit et de décontracter le corps. Les premiers utilisateurs de mantras étaient cependant motivés par des intentions plus spirituelles, notamment celles d'invoquer la puissance d'un dieu spécifique, de cultiver et d'améliorer les qualités positives et de parvenir à l'union avec la réalité divine.

Si le terme « mantra » qui signifie « instrument de pensée » provient du sanscrit, la pratique apparaît sous une forme ou une autre dans presque toutes les religions.

Les soufis répètent ainsi l'expression *ila'ha il'alahu* (Seul Dieu existe), les Chrétiens récitent le « Notre Père » ou la prière du cœur (Seigneur ait pitié de moi), les bouddhistes psalmodient des invocations sacrées comme *om mani padme hum* ou *namu amida butsu* et les Hindous répètent l'un des nombreux noms ou louanges à Dieu.

Pour résumer, les mantras sont des sons dotés de pouvoirs spirituel ou mystérieux insufflés par un maître ou une tradition. Lorsque vous répétez un mantra – à haute voix, tout bas ou mentalement (méthode considérée comme la plus probante), vous résonnez d'une

L'art du mantra

fréquence spirituelle particulière ainsi que du pouvoir et des bénédictions que le son a accumulé au fil du temps.

La pratique des mantras focalise et stabilise l'esprit, le protégeant des distractions indésirables. C'est pour cette raison que les récitations de mantras s'accompagnent souvent de pratiques méditatives plus formelles. Pour essayer, il vous suffit de choisir un mot ou une expression doté d'une signification personnelle ou spirituelle profonde. (La tradition veut que le mantra soit donné par le maître en personne.) Asseyez-vous calmement et répétez-le à l'infini, en laissant votre esprit se reposer sur le mot et la sensation qu'il évoque. Si votre esprit s'égare, revenez simplement à votre mantra.

L'adepte du yoga classique cherche à se couper du monde matériel considéré comme illusoire et à fusionner avec la réalité suprême de la conscience. Après avoir préparé leur corps par les *asanas* (postures familières du hatha-yoga), développé des états d'énergie raffinée par diverses techniques du souffle et écarté toutes les distractions extérieures, les yôgis se concentrent sur un objet intermédiaire comme un *mantra* (répétition d'un mot ou d'une expression) ou un objet sacré pour arriver à se focaliser sur la conscience elle-même. Le yôgi atteint un état d'*absorption* (sâmadhi) où toutes traces de séparation se sont évanouies, le laissant en union avec la conscience.

Établie et codifiée par Patanjali (sage du second siècle après J.-C.), la philosophie et la pratique du yoga classique a donné naissance au fil des siècles à un nombre très important d'écoles – dont certaines ont par moments été concurrentes. La plupart des yôgis et swamis qui ont enseigné en Occident tiraient leur enseignement du yoga classique.

Le début du bouddhisme : les racines de la méditation consciente

Le fondateur du bouddhisme est un prince Hindou du nom de Gautama ou Shakyamuni, dit le Bouddha, qui selon la tradition, renonça à sa vie de luxe pour percer les mystères de la souffrance, de la vieillesse et de la mort. Après 7 années d'ascé- tisme et de pratique du yoga, il réalisa que mortifier sa chair et se couper du monde ne l'amenait pas là où il voulait aller. Il s'assit alors sous un figuier et se tourna vers les profondeurs de son esprit. Après 7 jours et 7 nuits de méditation profonde, il s'éveilla à la nature de l'existence – d'où son surnom de *Bouddha* qui signifie « l'Éveillé ».

Selon la doctrine qu'il développa, nous souffrons en raison de notre attachement à des convictions erronées, notamment parce que nous pensons que (1) les choses sont immuables et doivent apporter la félicité et (2) nous possédons un *moi* durable qui existe indépendamment de tous autres êtres et fait de nous ce que nous sommes. Le Bouddha enseignait au contraire que rien n'est immuable : ni nos esprits, ni nos émotions, ni notre sens du moi, ni les circonstances et les objets du monde extérieur.

Pour se délivrer de la souffrance, il conseillait de se libérer de l'ignorance et d'éliminer la peur, la colère, la convoitise, la jalousie et tout autre état mental négatif. Son approche reposait à la fois sur des pratiques pour travailler son esprit et des instructions pour mener une vie vertueuse et spirituelle.

La méditation est au cœur de l'approche historique du Bouddha. La pratique méditative qu'il enseignait, appelée *pleine conscience*, impliquait de prêter une attention consciente à notre expérience de chaque instant.

Voici les quatre fondations de la pleine conscience :

- ✔ Conscience du corps
- ✔ Conscience des sensations
- ✔ Conscience des pensées et états mentaux
- ✔ Conscience des lois de l'expérience (relation entre ce que nous pensons et ce que nous vivons)

Se démarquant des maîtres de son époque qui prônaient le retrait du monde pour rechercher l'union extatique avec le Divin, le Bouddha enseignait l'importance d'accéder à la compréhension de la nature de l'existence et des mécanismes de souffrance créés par l'esprit. Il se comparait davantage à un médecin offrant un traitement pour guérir les blessures qu'à un philosophe apportant des réponses abstraites à des questions métaphysiques.

Les tantra indiens : trouver le sacré dans le monde des sens

Pour bon nombre d'Occidentaux, le mot « tantra » est associé à des pratiques sexuelles qui ont été adaptées pour gagner une audience populaire.

Le *tantrisme* s'est développé dans les premiers
siècles apr. J.-C., comme une importante doctrine
de pensées et de pratiques indiennes. Se fondant
sur l'idée que la réalité absolue et le monde relatif
des sens étaient inséparables, les tantriques utilisaient les sens – y compris la pratique de rites
sexuels – comme accès à la réalisation spirituelle.
Inutile de dire qu'une telle approche a inévitablement des écueils ; si le yoga et le bouddhisme
peuvent se tourner vers l'abnégation, le tantrisme
peut se confondre avec le péché sensuel.

La méditation tantrique englobe souvent
des pratiques visant à éveiller la *Kundalinî-
shakti* énergie associée à la créature divine
dormant à la base de la colonne vertébrale.
Une fois stimulée, la *shakti* s'élève par un
canal énergétique situé dans la colonne
vertébrale et ouvre sur son chemin chacun
des 7 centres de conscience du corps les
chakras ou *çakras*. Ces centres qui vibrent
à des fréquences différentes et sont
associés à diverses fonctions physiques et
psychologiques, sont localisés près du
périnée, des organes génitaux, du plexus
solaire, du cœur, de la gorge, du front
(troisième œil) et de la couronne de la tête.
Enfin, la shakti peut jaillir à travers le

chakra de la tête dans une explosion
d'extase. C'est à ce stade que le pratiquant
se rend compte de son identité avec le
divin, alors qu'il se trouve enfermé dans
une enveloppe corporelle.

Vers le toit du monde et au-delà

Avant de quitter définitivement l'Inde vers la fin du
premier millénaire apr. J.-C., le bouddhisme ancien
a connu de profonds bouleversements. Les premières écoles ont évolué vers ce que l'on appelle
aujourd'hui le *Theravada*, une école importante qui
s'est développée depuis le sud de l'Inde au
Sri Lanka et dans tout le Sud-Est asiatique.

En grande partie limitée aux moines et aux reli-
gieuses, la doctrine du *Theravana* met l'accent sur
un chemin progressif vers la libération. Un peu plus
tardivement, naquit un autre courant, le *Mahâyâna*
(Grand véhicule) qui prêchait l'idéal du *bodhisattva*
– celui qui cultive l'éveil pour le bien de tous et
consacre sa vie à libérer les autres. Ce second courant était plus égalitaire et offrait à tous, y compris
aux laïques, la voie de l'Illumination.

De l'Inde, les moines et les érudits errants ont véhiculé le *Mahâyâna* par-delà l'Himalaya (le Toit du monde) vers la Chine et le Tibet. Là, il s'est mélangé avec des doctrines spirituelles locales, a pris racine et a donné naissance à différentes traditions et écoles dont les plus connues sont le Ch'an (ou Zen) et le *Vajrayâna* ou *Tantrayâna* (véhicule des tantriques) qui a porté la pratique de la méditation encore plus haut.

Le Ch'an ou Zen : le bruit d'une seule main qui applaudit

Vous avez certainement déjà entendu parler de ces maîtres zen qui frappent leurs disciples avec un bâton ou hurlent des instructions à tue-tête. Ce que vous ne savez peut-être pas c'est que le zen est un mélange unique entre le bouddhisme Mahâyâna (dont je viens de mentionner l'aspect égalitaire) et une tradition originaire de Chine appelée taoïsme (qui met l'accent sur la nature continue et indivisée de la vie appelée Tao). Même si la pénétration du bouddhisme en Chine grâce aux moines indiens débuta dans les premiers siècles après J.-C., il fallut attendre le VIIe ou le VIIIe siècle pour que le zen devienne un courant distinct. Il s'est alors démarqué radicalement de la tradition bouddhiste en mettant l'accent sur une transmission directe et muette de l'état d'Illumination du maître au disciple – parfois par un comportement que les normes actuelles considéreraient certainement comme excentrique voire bizarre.

 Contrairement aux autres traditions boud-dhistes qui se sont focalisées sur l'étude des textes, le Zen a rejeté les théories métaphysiques pour ne plus donner qu'un mot d'ordre : contentez-vous de vous asseoir ! La méditation est alors devenue le moyen essentiel de démanteler une vie entière d'attachement au monde matériel et de comprendre ce que les maîtres zen appelaient la *Nature-de-Bouddha*, la sagesse innée présente en chacun de nous.

Le zen a également introduit ces énigmes apparem-ment simples mais insolubles appelées « kôans » comme par exemple « Qu'elle est la nature du bruit provoqué par une seule main qui applaudit ? » ou encore « à quoi ressemblait votre visage originel avant la naissance de vos parents ? ». En s'immer-geant totalement dans le kôan, le moine arrivait à percevoir l'essence de l'existence, ce que le maître nommait *satori*.

Au Japon, le zen a donné naissance à un ascétisme austère et immaculé, à l'origine des techniques de peinture et des jardins de pierres si typiques de la culture japonaise. Du Japon, le zen s'est bien évidemment propagé vers l'Amérique du nord, où il a rencontré la Beat generation des années 50 et préparé le terrain au regain d'intérêt actuel pour la méditation.

Le Vajrayâna : la voie de la transformation

Comme en Chine, (où le bouddhisme a rencontré le Taoïsme), le Tibet possédait sa propre religion, le bönpo, faits entre autres, de pratiques magiques destinées à·apaiser les esprits locaux et les divinités. Lorsque le grand maître Indien Padmasambhava introduisit le bouddhisme au Tibet au VIIe siècle apr. J.-C., il lui fallut d'abord conquérir les esprits hostiles qui résistaient à ses efforts. Ceux-ci furent finalement inclus dans le bouddhisme indo-tibétain en tant que protecteurs et alliés au sein d'un panthéon qui englobait plusieurs Bouddha et *dakinis* (femmes éveillées).

Les bouddhistes Tibétains croyaient que le Bouddha historique enseignait simultanément à plusieurs niveaux, en fonction des besoins et des capacités de ses disciples. Les enseignements les plus évolués, pensaient-ils, étaient tenus secrets depuis plusieurs siècles avant d'arriver au Tibet sous la forme du *Vajrayâna* (Véhicule de Diamant). Outre la traditionnelle méditation en pleine conscience, cette approche avait emprunté des éléments du tantrisme indien et de puissantes pratiques pour travailler sur l'énergie. Au lieu d'éliminer les émotions négatives et les états mentaux tels que la peur, la convoitise, la colère comme le recommande la doctrine bouddhique traditionnelle, le Vajrayâna enseigne comment transformer l'énergie négative en sagesse et compassion.

La méditation du bouddhisme indo-tibétain fait aussi appel à la *visualisation* – utilisation active de l'imagination – pour invoquer les puissantes forces spirituelles qui alimentent le processus de réalisation spirituelle.

Du Moyen-Orient au reste du monde

Si la méditation dans les traditions judéo-chrétienne et islamique a connu un développement indépendant, il est possible que les méditants du Moyen-Orient aient pu être influencés par les pratiques de leurs homologues de l'Inde et du Sud-Est asiatique (voir plus haut dans ce chapitre). Les historiens possèdent des preuves que les voyages de pèlerins étaient constants entre des deux régions et que l'apparition des premiers moines bouddhistes à Rome date du début de l'ère chrétienne. Selon une rumeur – encouragée par des coïncidences historiques intéressantes – Jésus aurait même appris la méditation en Inde ! Alors que les méditants Indiens – suivant l'idée ancienne que *âtman est égal à Brahman* (Moi et l'essence de l'être ne font qu'un) – ont progressivement porté leur attention vers l'intérieur pour chercher le sacré dans les profondeurs de leur être, les penseurs et théologiens occidentaux se sont orientés vers un Dieu qui existerait prétendument en dehors de l'individu. À la même période, les mystiques d'Occidents s'acharnaient avec le paradoxe d'un Dieu à la fois à l'intérieur et à l'extérieur, personnel et transcendent.

Dans les traditions occidentales, la méditation revêt souvent la forme d'une prière – c'est-à-dire d'une communion directe avec Dieu. La prière méditative des moines et des mystiques diffère de la prière ordinaire, souvent faite de plaintes et de requêtes. La prière méditative est une approche de Dieu faite avec humilité et dévotion. Elle consiste à

contempler Ses qualités divines et solliciter
Sa présence dans le cœur du méditant.
L'objectif final est de soumettre totalement
le moi individuel à l'union avec le Divin.

La méditation chrétienne : la pratique de la prière contemplative

L'équivalent chrétien de la méditation, appelé
prière contemplative, remonte à Jésus Christ
lui-même qui jeûna et pria dans le désert pendant
40 jours et 40 nuits. Dans la contemplation, dit le
Père Thomas Keating, dont la « prière centralisante »
a permis de raviver l'intérêt dans la méditation
chrétienne, vous ouvrez votre conscience et votre
cœur à Dieu, le mystère ultime qui demeure dans
les profondeurs de votre être, hors de portée de
l'esprit. (Reportez-vous à l'encadré page suivante
pour en savoir plus sur la pratique enseignée par
le Père Keating.)

Après Jésus, les premiers grands méditants chrétiens furent les pères du désert d'Égypte et de
Palestine au IIIᵉ et IVᵉ siècle qui vivaient dans une
solitude quasi totale et cultivaient la conscience de
la présence divine à travers la répétition d'une

expression sacrée. Leurs descendants directs, les moines, nonnes et mystiques de l'Europe médiévale, utilisaient la pratique contemplative qui consiste à répéter et ruminer un passage biblique (à ne pas confondre avec le fait d'y réfléchir ou de l'analyser !) jusqu'à ce que sa signification profonde se révèle à l'esprit. Ces deux pratiques, explique le Père Keating, rappellent l'admonition de Jésus « Quand vous priez, allez dans votre placard, dans votre être le plus intime et verrouillez la porte ».

Dans les Églises orthodoxes de Grèce et d'Europe de l'Est, les moines se livraient depuis longtemps à des pratiques similaires, combinant des *prosternations* et la répétition du Notre Père « Seigneur, ait pitié de moi pauvre pêcheur » jusqu'à ce que toutes ces pratiques s'arrêtent brusquement pour révéler un silence intérieur rempli d'amour et de béatitude.

La prière centralisante

Mise au point par Thomas Keating, un prêtre catholique, et fondée sur les sources chrétiennes traditionnelles, la prière *centralisante* est une pratique contemplative qui permet d'ouvrir l'esprit et le cœur à la présence divine. Contrairement au mantra qui vise à clarifier ou apaiser l'esprit, la prière centralisante purifie le cœur et conduit, si nous y consentons, à l'union divine. Au lieu de la répétez à l'infini comme un mantra, il suffit de la garder dans sa conscience comme un objet de contemplation.

Voici les instructions données par le Père Keating pour pratiquer la prière. Ses propres paroles sont placées entre guillemets.

1. **Choisissez un « mot sacré comme symbole de votre consentement à la présence et à l'action de Dieu en vous. »**

2. **Installez-vous confortablement et introduisez silencieusement le mot sacré en vous.**

Lorsque vous êtes bien conscient de vos pensées, retournez délicatement au mot sacré.

3. **Gardez le même mot pendant la période de contemplation.**

Certaines personnes préfèrent « se tourner intérieurement vers Dieu, comme si elles le contemplaient » sans utiliser de mot. Dans tous les cas, les consignes sont identiques. Lorsque nous nous ouvrons à Dieu, dit le Père Keating, vous trouvons que Dieu est « plus près que la respiration, plus près que la pensée, plus près que le choix – plus près que la conscience elle-même. »

Au cours des dernières années, de nombreux ministres et moines chrétiens ont été influencés par les maîtres Hindous et Bouddhistes, de plus en plus présents en Occident. Certains ont même adapté les pratiques orientales pour répondre aux besoins des chrétiens. D'autres, comme le Père Keating, se sont penchés sur leurs propres racines contemplatives pour ressusciter des pratiques qui étaient devenues complètement obsolètes.

La méditation dans le judaïsme : se rapprocher de Dieu

Selon Rami Shapiro, rabbin du temple Beth Or de Miami en Floride et auteur d'un ouvrage intitulé *Wisdom of the Jewish Sages*, les interprètes mystiques de la Bible ont trouvé la preuve d'une pratique de la méditation remontant à Abraham, fondateur du Judaïsme. Les prophètes de l'Ancien Testament entraient apparemment dans des états de conscience modifiée grâce au jeun et aux pratiques ascétiques. Les mystiques des premiers siècles apr. J.-C., méditaient sur une vision du prophète Ézéchiel.

Mais la première méditation juive formelle, poursuit Shapiro, était centré sur l'alphabet hébreux considéré comme le langage divin à travers lequel Dieu avait créé le monde. « Voir l'alphabet » explique Shapiro « revenait à voir la source de la création et donc à ne plus faire qu'un avec le Créateur lui-même. »

À l'image des pratiquants de toutes le religions centrées sur Dieu, les méditants juifs utilisaient des phrases sacrées ou des versets de la Bible comme mantras pour se rapprocher de Dieu. Comme le disait un grand maître hassidique à propos de l'expression *r'bono shel olam*, (qui signifie maître de l'univers), si vous la répétez en continu, vous parvenez à l'union avec Dieu. Et c'est précisément cette union que recherche la méditation juive.

À l'instar du christianisme, l'influence orientale de ces dernières années a fait ressurgir les traditions méditatives dans le judaïsme. Des rabbins comme Shapiro (qui pratique la méditation zen) et David Cooper (qui s'est formé à la méditation en pleine conscience du bouddhisme) contribuent à la renaissance de la méditation juive en élaborant une nouvelle synthèse des techniques anciennes d'Orient et d'Occident.

Contempler les étoiles

Dans son ouvrage intitulé *Jewish Meditation*, le rabbin Aryeh Kaplan décrit une technique traditionnelle fondée sur le verset suivant de la bible.

« Levez vos yeux en haut, et regardez !

Qui a créé ces choses ? [étoiles]

Qui fait marcher en ordre leur armée ?

Il les appelle toutes par leur nom… » (Ésaïe , 40 :26)

1. **Par une nuit claire, allongez-vous ou asseyez-vous confortablement dehors, pour contempler les étoiles.**

2. **Tout en répétant un mantra, focalisez votre attention sur les étoiles comme si vous vouliez les pénétrer pour découvrir les mystères qu'elles cachent.**

Vous pouvez utiliser le mantra traditionnel juif *r'bono shel olam*, pour vous aider à approfondir votre concentration et votre sens du sacré. Mais n'hésitez pas à choisir un mantra de votre choix.

Comme le rappelle le rabbin Kaplan, vous « appelez Dieu dans les profondeurs des cieux, le cherchant au-delà des étoiles, au-delà des limites mêmes du temps et de l'espace. »

3. **Restez absorbé dans votre contemplation aussi longtemps que vous le désirez.**

Selon le rabbin Kaplan, cette méditation « peut mener une personne vers une expérience spirituelle extraordinairement profonde. »

Vers l'unique

Pour se préparer à des pratiques méditatives plus poussées, les soufis débutent souvent par un *darood* – récitation de mots sacrés au rythme de la respiration. Samuel Lewis, maître soufi d'origine américaine décédé en 1971, enseignait l'exercice suivant :

1. **Débutez par une marche rythmée sur laquelle vous synchronisez votre souffle – quatre pas pendant l'inspiration suivis de quatre pas pendant l'expiration.**

2. **Tout en marchant, répétez « Vers l'unique » – en décomposant les syllabes : les trois syllabes lors des trois premiers pas puis le quatrième pas silencieux.**

La marche développe et renforce le rythme du souffle.

Vers l'unique

3. **Poursuivez aussi long-temps que vous le dési-rez, en y accordant une attention totale.** « Le soufi vit dans le souffle 24 h sur 24 h » déclare Shabda Kahn, enseignant soufi qui a étudié avec Lewis.

La méditation chez les soufis : se soumettre au Divin à chaque respiration

Depuis l'époque du prophète Mahomet au VIIe siècle apr. J.-C., les soufis portent les vêtements de l'Islam. Mais comme le fait remarquer le professeur soufi d'origine américaine Shabda Kahn, leurs racines sont beaucoup plus anciennes. Elles remontent bien avant Mahomet, Bouddha ou autres célèbres maîtres, jusqu'à la première personne éveillée. Les soufis prétendent être une confrérie de chercheurs mystiques dont l'unique objectif est l'union avec Dieu dans leurs propres cœurs. Si le soufisme diffère selon l'époque, les maîtres et la région géogra-phique, l'enseignement de base reste le même : il n'y a rien en dehors de Dieu.

La méditation soufie prend généralement la forme d'une psalmodie de paroles sacrées, soit silencieuse soit à haute voix, rythmée par une respiration profonde – pratique appelée le zikr (souvenir de l'Être Divin). Selon Kahn, les soufis retraduisent la béatitude biblique « Heureux les pauvres en esprit » par « Heureux ceux qui ont une respiration purifiée. » Une fois le souffle cultivé et purifié, le soufi peut l'utiliser pour se soumettre à l'être Divin à chaque instant – littéralement à chaque souffle.

EXERCICE

Jouer avec la pesanteur

1. Asseyez-vous sur une chaise et prenez peu à peu conscience de la pesanteur sur votre corps.

2. Notez le poids de vos jambes et de vos hanches contre la chaise.

3. Levez-vous et prenez conscience de votre attraction vers le sol.

4. Commencez à marcher en observant à chaque pas la force de gravité sur vos pieds.

5. Regardez autour de vous et réfléchissez à la façon dont tous les objets sont maintenus au sol par la pesanteur – comment vous vous déplacez dans un champ gravitationnel comme un poisson dans l'eau.

Cette force mystérieuse se trouve partout, même si vous ne voyez ou ne la comprenez pas.

6. Gardez en tête la présence de ce champ invisible mais puissant pendant que vous vaquez à vos occupations.

Deuxième partie
Cette fois, on y va

« Parfait, votre posture est excellente.
Maintenant détendez-vous, concentrez-vous et
lâchez lentement votre téléphone portable. »

Dans cette partie...

Je vous conduis (avec douceur) pas à pas vers l'apprentissage de la méditation. Vous allez dans un premier temps apprendre à tourner votre esprit vers l'intérieur et vous concentrer. Puis, vous explorerez la pratique de la pleine conscience, qui consiste tout simplement être attentif à tout ce que vous ressentez.

À la fin de cette partie, vous aurez appris tous les petits trucs qui rendent la méditation amusante et facile et notamment comment vous asseoir sans bouger, suivre votre souffle, où et quand méditer, les accessoires qu'il vous faut et comment les utiliser. Si vous suivez scrupuleusement toutes ces instructions, vous deviendrez un méditant calé en un rien de temps !

Chapitre 4

Relaxer son corps et apaiser son esprit

• •

Dans ce chapitre :

▶ Cinq moyens rapides de se détendre physiquement

▶ Régler, ralentir et explorer son souffle

▶ Avancer dans le brouillard, devenir souffle et autres énigmes zen

▶ Zoomer avec la conscience

• •

Si vous cherchez des instructions simples et concises pour méditer, vous voilà arrivé au bon chapitre ! On peut discourir à l'infini à propos des bienfaits de la méditation ou de la nature de l'esprit mais ce n'est qu'en essayant par vous-même que vous comprendrez l'entêtement et l'agitation de l'esprit.

Les Bouddhistes comparent volontiers l'esprit à un singe qui se balance de branche en branche – d'un projet à un souvenir, d'une pensée à une émotion ou d'une vision à un bruit – sans jamais parvenir à se poser quelque part. Certains professeurs actuels préfèrent à cette image celle du chiot incontrôlable et impulsif qui court dans tous les sens et qui fait pipi sur la moquette avec une totale insouciance. Vous avez peut-être déjà essayé de dresser un chiot : il est virtuellement impossible de le dominer, de le contenir ou de le faire asseoir tant qu'il n'est pas décidé à obéir. Il en est de même avec votre esprit. Inutile de le contraindre à se calmer, il ne fait que s'emballer davantage sans aller bien loin, comme un chiot essayant d'attraper sa queue !

Par la pratique de la méditation, vous amenez au contraire sans violence votre esprit à se recentrer sur un point donné. Vous allez voir dans ce chapitre comment méditer sur votre souffle – l'une des formes de méditation les plus couramment pratiquées dans les traditions spirituelles du monde entier. Vous découvrirez également des techniques de pleine conscience destinées à « dresser votre chiot », à trouver un équilibre entre la relaxation et la vigilance et à élargir votre méditation pour y inclure toutes les expériences sensorielles.

Curieusement, se concentrer sur son souffle,
activité banale, répétitive et apparemment
sans importance, peut procurer les bénéfices pro-
digieux que nous attendons tous de la méditation,
et notamment, réduire le stress, améliorer les
performances, permettre de mieux apprécier et
jouir de la vie, établir un lien plus profond avec
l'être essentiel – et même atteindre des états
méditatifs plus poussés comme l'amour inconditionnel ou la perception intérieure de la nature
de l'existence.

Tourner son attention vers l'intérieur

Comme le dit le proverbe chinois, « un voyage de
mille li a commencé par un pas ». (le li est une
mesure itinéraire chinoise qui vaut environ 600 m)
Pour la méditation, ce premier pas, simple mais
essentiel, consiste à détacher son esprit des
préoccupations extérieures – ou de l'interprétation
faite de ces évènements – pour le tourner vers
l'expérience sensorielle intérieure.

La plupart d'entre nous sont trop accaparés par
ce qui se passent autour d'eux – le regard des
autres, les paroles des proches ou des collègues,

les dernières nouvelles ou les messages s'affichant sur la multitude d'écrans qui ont envahi le monde – pour prêter la moindre attention à ce qui se passe à l'intérieur de leur esprit, de leur corps ou de leur cœur. La culture populaire nous enseigne que le bonheur et la satisfaction sont à chercher à l'extérieur de nous. Dans un monde aussi déroutant et fascinant, même la plus petite prise de conscience de soi prend des allures de défi titanesque.

Accordez-vous maintenant quelques minutes pour recentrer votre esprit et prêter attention à ce que vous éprouvez. Vous remarquerez à quel point il vous est difficile de détacher votre esprit des centres d'intérêt extérieurs pour l'amener vers une simple expérience sensorielle. Notez comment votre esprit est activement occupé à voleter d'une pensée et d'une image à l'autre, tissant une sorte de trame dont vous êtes le centre.

Les schémas habituels sont si solidement ancrés qu'il faut un courage et une patience extraordinaires pour effectuer un acte aussi inoffensif que ramener inlassablement son attention à un point de focalisation intérieur comme la respiration. L'aventure en terrain pratiquement inconnu fait peur à double titre : vous ne savez pas ce que vous allez découvrir à l'intérieur et vous ne savez pas non plus ce que vous aller rater à l'extérieur ! Le basculement de l'extérieur vers l'intérieur est le mouvement simple mais fondamental sans lequel la méditation est impossible.

Le mouvement dont je parle peut se décliner sous plusieurs dimensions :

> ✔ **Du contenu au procédé** : plutôt que d'être absorbé par le sens de ce que vous éprouvez, sentez ou pensez, faites porter votre intérêt et votre attention sur le *déroulement* de l'expérience. Regardez par exemple votre esprit voleter d'une pensée à une autre ou prenez simplement conscience que vous êtes en train de penser au lieu de vous perdre dans vos réflexions ou vos rêves.
> De même, au lieu d'être paralysé par la peur, observez l'évolution des ondes de tension dans votre ventre – ou contentez-vous de noter l'existence de ce sentiment.

✔ **De l'extérieur vers l'intérieur** : au départ, il vous faut faire basculer votre tendance à être orienté vers l'extérieur en prêtant attention à votre expérience intérieure. Avec de la pratique, vous parviendrez à une qualité de conscience similaire pour chaque expérience, extérieure comme intérieure.

✔ **De l'indirect au direct** : encore plus utile que la dimension précédente, celle-ci permet de faire la distinction entre l'expérience indirecte et l'expérience directe. La première a subi le filtrage et la distorsion de l'esprit tandis que la seconde est diffusée par les sens ou toute autre forme de conscience directe. En plus de la porter vers l'intérieur, la méditation détourne votre attention des histoires élaborées par l'esprit pour la diriger vers l'expérience directe elle-même.

✔ **De faire à être** : Comme la plupart d'entre nous, vous consacrez pratiquement tous vos moments d'éveil à courir d'une activité, d'un projet ou d'un travail à un autre. Vous souvenez-vous seulement de l'impression que procure le seul fait d'être ou d'exister, comme quand vous étiez bébé ou enfant et que vous passiez les chaudes après-midi d'été à jouer ou vous prélasser sur la pelouse ? Grâce à la méditation vous retrouvez ce temps béni d'être sans faire.

La relaxation du corps

Comme nous le rappelle le domaine naissant de la psychophysiologie – et que les yôgis et sages nous disent depuis des millénaires ! – le corps, l'esprit et le cœur forment un tout ininterrompu et indissociable. Lorsque vos pensées passent d'un souci à un autre, le corps répond par une contraction et une tension, notamment à certains points clefs comme la gorge, le cœur, le plexus solaire et le ventre. Lorsqu'il atteint un certain degré d'intensité, le malaise s'exprime alors par une émotion : peur colère ou tristesse.

En vous reliant à l'expérience directe – et par la suite au royaume de l'être pur au-delà de l'esprit – la méditation a pour effet de relaxer tout naturellement le corps en focalisant votre esprit. Il faut, lorsqu'on débute, parfois plusieurs jours voire plusieurs semaines de pratique pour connaître cette relaxation naturelle. Avant de méditer, pratiquer l'une des techniques suivantes pourra par conséquent vous être utile, notamment si vous êtes sensiblement tendu. (Si vous faites partie des rares personnes détendues au point de s'endormir dès que le moment s'y prête, vous pouvez très bien vous passer de ces exercices.) Se décontracter procure des bienfaits en soi mais ils s'estomperont rapidement si vous n'êtes pas capable de travailler avec votre esprit.

Si vous n'avez jamais encore essayé de vous détendre intentionnellement, commencez par la méditation présentée page ci-contre « La relaxation profonde » qui vous apprend à décontracter chacune des parties de votre corps. Il est cependant difficile de la pratiquer à chaque méditation car elle demande déjà 15 bonnes minutes. Après un temps d'entraînement, votre corps aura en mémoire l'effet d'une relaxation profonde et vous pourrez alors passer à l'un des exercices de relaxation plus courts (5 minutes) présentés ci-dessous. Pour votre information, la relaxation profonde est le meilleur remède

contre l'insomnie – essayez dans votre lit
et vous glisserez vers le sommeil !

- **La douche relaxante** : imaginez-vous
sous une douche chaude. Au fur et à
mesure qu'elle descend sur votre
buste et le long de vos jambes, l'eau
emporte avec elle toute la sensation
d'inquiétude et de désarroi, vous laissant ragaillardi et revigoré.

- **La chaleur du miel** : imaginez un monti-
cule de miel tiède perché sur votre
crâne. En fondant, il coule sur votre tête,
votre visage, votre cou, recouvrant les
épaules, la poitrine et les bras pour
envelopper entièrement votre corps
jusqu'aux orteils. Sentez cette onde de
liquide chaud et voluptueux emporter
toute la tension et le stress pour vous
laisser entièrement détendu et revivifié.

- **Un endroit paisible** : imaginez un lieu
sûr, protégé, et tranquille – prairie,
forêt, plage de sable selon vos goûts.
Explorez entièrement cet endroit de
tous vos sens. Notez le calme et la
sérénité envahir chacune des cellules
de votre corps.

✔ **Sondez chaque parcelle du corps** :
en partant du crâne, examinez votre
corps du haut jusqu'en bas. Lorsque
vous rencontrez un endroit de tension
ou de gêne, laissez-le s'ouvrir lentement et s'adoucir puis poursuivez
votre chemin.

✔ **La réponse relaxante** : choisissez un
mot ou une courte phrase chargé pour
vous d'un sens spirituel ou personnel
profond. Fermez les yeux et répétez
doucement et à plusieurs reprises le
mot choisi.

MÉDITATION

La relaxation profonde

Voici une méditation que
vous pouvez pratiquer
dès que vous avez 15 à
20 minutes devant vous et
que vous désirez évacuer
une partie de la tension et
du stress que vous avez
accumulés. Elle constitue
aussi une excellente préparation pour les autres

relaxations présentées dans
ce livre, vous laissant décontracté, revigoré et en
contact avec vous-même.

**1 Trouvez un endroit confor-
table où vous pouvez vous
allonger.**

Ôtez vos chaussures, des-
serrez votre ceinture et

tout vêtement qui vous sert. Étendez-vous sur le dos, mains le long du corps, jambes légèrement écartées.

2 **Explorez votre corps dans son ensemble, sans oublier les zones en contact avec la surface du lit ou du sol.**

3 **Fermez les yeux et portez votre attention sur vos pieds. Agitez les orteils, pliez les pieds puis évacuez toute la tension en laissant vos pieds fusionner avec le sol.**

4 **Reportez ensuite votre attention sur vos mollets puis vos cuisses et enfin vos hanches. Imaginez qu'ils deviennent de plus en plus lourds, se relâchant jusqu'à pénétrer dans le sol.**

Si l'image de la fusion ne vous convient pas, songez que votre corps se dissolve, plonge au fond de l'eau ou disparaisse.

5 **Portez votre attention sur le bas du ventre. Toute la tension s'évapore, votre respiration devient plus profonde et votre ventre s'ouvre et se détend.**

6 **Portez votre attention sur votre poitrine, votre cou et votre gorge, sentant chacune de ces régions s'ouvrir et se détendre.**

7 **Prenez conscience de vos épaules, de vos bras et de vos mains. Ils deviennent à leur tour lourds et détendus jusqu'à fusionner ou disparaître dans le sol.**

8 **Prenez maintenant conscience de votre tête et de votre visage. Sentez la**

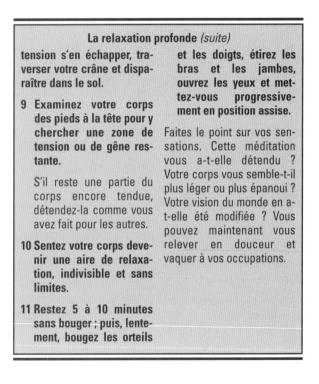

La relaxation profonde *(suite)*

tension s'en échapper, traverser votre crâne et disparaître dans le sol.

9 **Examinez votre corps des pieds à la tête pour y chercher une zone de tension ou de gêne restante.**

S'il reste une partie du corps encore tendue, détendez-la comme vous avez fait pour les autres.

10 **Sentez votre corps devenir une aire de relaxation, indivisible et sans limites.**

11 **Restez 5 à 10 minutes sans bouger ; puis, lentement, bougez les orteils** et les doigts, étirez les bras et les jambes, ouvrez les yeux et mettez-vous progressivement en position assise.

Faites le point sur vos sensations. Cette méditation vous a-t-elle détendu ? Votre corps vous semble-t-il plus léger ou plus épanoui ? Votre vision du monde en a-t-elle été modifiée ? Vous pouvez maintenant vous relever en douceur et vaquer à vos occupations.

La pleine conscience :
être attentif au moment présent

Ce chapitre met l'accent sur une approche de la méditation appelée la pleine conscience – c'est-à-dire la conscience à chaque instant de ce que vous vivez. La pleine conscience est à la fois une attitude de conscience focalisée (ou concentration) et de conscience réceptive qui accueille tout ce qui se produit. Mais du fait qu'elle repose principalement sur la maîtrise de la concentration, sa pratique exige d'abord de développer et améliorer cette aptitude. Les premières méditations présentées ici vont vous apprendre à vous focaliser sur un objet de concentration particulier : votre respiration.

L'objectif final de la pleine conscience est d'arriver à être pleinement présent à tout moment, quoi qu'il arrive. Une fois votre concentration stabilisée par la concentration sur le souffle, élargissez votre conscience à toutes les sensations corporelles – pour finalement accueillir tout ce qui se présente dans votre champ d'expérience. En dépit de sa simplicité extrême, cette technique perfectionnée peut demander des années de pratique avant d'être parfaitement maîtrisée mais vous pourrez connaître des visions fugitives d'une conscience élargie après seulement quelques semaines de méditations régulières.

TRUC

Ne pas attendre de résultats

Lorsque vous investissez de l'argent, de l'énergie ou du temps dans quelque chose, vous espérez en tirer des bénéfices ou du moins obtenir un résultat à plus ou moins long terme et vous surveillez les cours de la bourse, l'avancée de vos projet ou de vos travaux. Un tel état d'esprit avec la méditation va à l'encontre du but recherché qui est au contraire de laisser de côté toutes vos pensées pour vous contenter d'exister au moment présent. C'est justement l'un des grands paradoxes de la méditation : vous ne pouvez en récolter les fruits tant que vous n'avez pas renoncé à toute aspiration et accepté les choses comme elles vien-nent. C'est à ce moment là seulement que les béné-fices arrivent au centuple.

Au début, vous allez sou-vent vous demander si ce que vous faites est correct – mais soyez rassuré, il n'y a pas de mauvaise façon de méditer – si l'on fait toute-fois exception de l'attitude qui consiste à s'asseoir et essayer de mesurer son taux de réussite ! Il vous arrivera de vous sentir aux anges – vous avez de l'énergie à revendre, votre esprit est clair et vous arri-vez à suivre votre souffle sans grande difficulté. Votre réaction sera alors de vous dire que vous avez pigé le truc ! Et puis le lendemain, vos pensées et émotions seront si accaparantes que vous resterez assis pendant 20 minutes sans jamais parvenir à même remarquer votre respiration. Bienvenue à la pratique de la méditation ! L'important n'est pas de faire bien mais de faire – toujours et encore.

L'un de mes maîtres zen comparait la méditation à une marche dans le brouillard par une chaude après-midi d'été. Même sans être conscient de ce qu'il se passe, vous êtes rapidement trempé de rosée.

La signification du souffle

Les cultures traditionnelles identifient le souffle (ou la respiration) à la force vitale animant toutes choses. Le mot latin *spiritus* par exemple (racine de « spirituel », « esprit »), le grec *anima*, à l'origine du mot « animé », l'hébreu *ruach* et le sanscrit *brahman*, même s'ils ont tous très différents, ont un point capital en commun : ils signifient tous à la fois souffle (ou respiration) et esprit ou âme. Lorsque vous suivez votre respiration avec conscience, non seulement vous harmonisez votre corps et votre esprit ce qui vous procure une sensation d'harmonie interne et d'intégrité, mais vous explorez également la frontière vivante où se rencontrent le corps, l'esprit et l'âme – pour être à l'unisson avec la dimension spirituel de l'être.

Se concentrer sur sa respiration

Évidemment, surfer sur l'Internet ou regarder un DVD peut sembler une façon bien plus agréable et moins rébarbative d'occuper son temps libre. Le fait est que les médias nous ont conditionné à devenir des drogués de la stimulation en inondant nos sens d'images informatisées et de sons synthétisés qui défilent à la vitesse du rayon laser. J'ai entendu récemment un directeur d'agence publicitaire vanter son dernier sport publicitaire, capable de bombarder le téléspectateur à la vitesse de 6 images par secondes –beaucoup plus vite que ce que l'esprit conscient est capable d'enregistrer.

À l'opposé, porter son attention sur sa respiration (inspirations et expirations) permet de calmer l'esprit qui trouve alors un rythme proche de celui du corps. Au lieu des 6 images seconde, vous effectuez entre 12 et 16 respirations par minute. Les sensations éprouvées sont bien plus subtiles que toutes celles que vous pouvez voir ou entendre à la télévision – elles se rapprochent davantage de l'ambiance de la nature, d'où, rappelons-le, nous sommes tous issus.

Autre avantage de la respiration comme objet de concentration : elle est toujours disponible, jamais vraiment semblable et pourtant toujours plus ou

moins la même. Si vos respirations étaient radicalement différentes, vous n'auriez pas la constance
indispensable à la culture de la concentration et si
elles étaient toutes semblables, vous ne tarderiez
pas à vous endormir sans jamais avoir l'occasion
de développer la curiosité et la vivacité si essen-
tielles à la pratique de la pleine conscience.

Avant d'apprendre à suivre leur souffle, certains
d'entre vous désireront peut-être consacrer quelques
semaines ou quelques mois à simplement compter
leurs respirations. C'est un exercice excellent qui
développe la concentration et donne la structure
de base vers laquelle revenir lorsque l'esprit s'égare.
Si vous étiez un étudiant néophyte zen, vous consa-
creriez des années à cet exercice avant de pouvoir
prétendre à une pratique plus difficile et stimulante.
Mais si vous avez envie de tenter l'aventure ou si
vous avez confiance en votre capacité de concentration, je vous conseille certainement de commencer
directement par suivre votre souffle. Laissez-vous
guider par votre intuition qui saura vous dire qu'elle
méthode vous convient le mieux.

Compter vos respirations

Asseyez-vous dans une position assise confortable
que vous serez capable de garder pendant 10 à

15 minutes sans ressentir de gêne. (Pour une description détaillée des différentes postures de méditation avec schémas, reportez-vous au chapitre 7.) Respirez profondément plusieurs fois en expirant lentement. Inutile de chercher à contrôler votre souffle, laissez-le trouver son rythme naturel. Sauf impossibilité ou gêne, respirez toujours par le nez.

Comptez chaque inspiration et expiration jusqu'à 10 puis revenez à 0. Pour être plus précis, « 1 » correspond à la première inspiration ; « 2 » à la première expiration, « 3 » à la seconde inspiration et ainsi de suite. Si vous perdez le fil, recommencez à « 1 ».

Apprendre à connaître votre respiration

Vous serez peut-être surpris (et un peu énervé) de constater que votre corps se raidi et que votre respiration devient difficile, laborieuse et dénaturée lorsque vous y faites pour la première fois attention. Alors que vous respirez fort bien depuis la naissance sans vous poser de question, tout d'un coup vous semblez ne plus savoir comment vous y prendre !

Gardez votre calme – vous ne faites pas l'exercice de travers. Essayez simplement de ne pas vous focaliser trop brusquement sur votre souffle, de le suivre sans le contrôler. Comme lorsque vous avez appris à faire du vélo, vous allez tomber jusqu'au jour où, sans que l'on sache pourquoi, vous réussirez. Dès lors, cela deviendra une seconde nature.

Explorer votre respiration, sans nécessairement essayer de la suivre, peut vous être utile au début. Commencez par noter ce qui se passe pendant le processus – la cage thoracique qui se soulève puis s'affaisse, le mouvement de votre ventre, la sensation de l'air traversant les narines. Observez les différences entre vos respirations : certaines sont courtes et peu profondes, d'autres longues et profondes ; certaines descendent jusqu'au ventre, d'autres s'arrêtent en haut des côtes ; certaines sont puissantes ou difficiles, d'autres légères ou faibles.

Consacrez 5 à 10 minutes à cette exploration avec la curiosité d'esprit d'un jeune enfant qui voit une fleur ou un papillon pour la première fois. Qu'avez-vous vu de nouveau ? En quoi chaque respiration diffère-t-elle de la précédente ? Lorsque vous avez l'impression de bien connaître votre souffle, vous pouvez commencer les exercices de comptage ou de suivi des respirations.

Variante : se focaliser sur son corps

Certaines personnes sont tout bonnement incapables de compter ou de suivre leur respiration. Une variante consiste alors à se focaliser sur son corps dans son ensemble pendant la méditation. Commencez par porter lentement votre attention sur votre corps en partant de la tête pour descendre jusqu'aux pieds puis tout d'un coup, prenez conscience de son existence en bloc. Lorsque votre esprit s'égare, ramenez-le à votre corps. Autre option : l'approche zen qui consiste à se concentrer sur une partie spécifique du corps (bas du dos ou du ventre par exemple). C'est à vous de voir l'option qui fonctionne le mieux. Une fois trouvée, n'en changez plus. L'objectif est de développer votre pleine conscience, non de chercher dans votre corps un lieu de méditation.

Pour faciliter la concentration, faire durer le chiffre dans votre esprit pendant toute la durée de l'inspiration ou de l'expiration s'avère parfois plus utile qu'un comptage plus court et sec évoqué seulement en pensée. Votre « u-u-u-n-n-n » durera alors toute l'inspiration et le « d-e-e-u-u-x » tout le temps de l'expiration. Au début, murmurer les chiffres tout bas pendant les respirations aide.

Si, à la première lecture cet exercice vous paraît idiot, vous serez surpris ce constater à quel point il est difficile d'arriver jusqu'à 10 sans se tromper ! Il n'est pas nécessaire d'arrêter le bavardage de l'esprit mais si vos pensées vous distraient, revenez à votre respiration et recommencez au début.

Une fois acquis le comptage des inspirations et des expirations (disons après un à deux mois de pratique régulière), ne comptez plus que les expirations. Si vous voyez que votre esprit vagabonde pendant les inspirations, revenez à l'exercice précédent jusqu'à ce que vous soyez prêt à passer à la seconde étape.

Suivre son souffle

Pour commencer, asseyez-vous et respirez exactement comme vous l'avez fait lorsque vous comptiez vos respirations. Une fois correctement installé, concentrez-vous soit sur la sensation produite par l'air entrant ou sortant de vos narines soit sur le mouvement de votre abdomen pendant la respiration. (Si rien ne s'oppose à ce que vous alterniez les deux options d'une séance à l'autre, il est préférable de vous tenir à votre choix de départ pendant toute la durée de votre méditation – et même de le conserver pour chaque méditation.)

Accordez la même attention à l'air entrant et sortant de votre nez qu'une mère veillant sur les mouvements de son jeune enfant – avec amour mais sans relâche, doucement mais avec précision, avec une attention détendue mais concentrée. Lorsque votre esprit s'est égaré et que vos pensées ont repris le dessus, ramenez en douceur mais fermement votre esprit à votre souffle.

À la fin de l'expiration (et avant l'inspiration suivante), il existe souvent un vide ou une pause pendant laquelle la respiration n'est plus perceptible. Vous pouvez à ce moment-là laisser reposer votre attention sur un point préétabli comme votre nombril ou vos mains avant de reprendre le cours de vos respirations.

Les pensées et les images continueront sans aucun doute de voltiger et traverser votre esprit pendant la méditation ; ce n'est pas grave. Contentez-vous de toujours revenir à votre respiration sans vous

énerver. Progressivement, toutes les sensations
éprouvées par votre respiration – mouvement de
va-et-vient de la cage thoracique et du ventre,
sensation de caresse de l'air au bout du nez, de
chatouillement des narines, de refroidissement des
fosses nasales au passage de l'air – deviendront
sources de fascination. Vous noterez pour certains
que votre esprit se calme et que vos pensées ont
tendance à changer soit sur l'inspiration soit sur
l'expiration. En accédant à un degré d'expérience
plus subtil pendant la méditation, vous vous ouvrez
à une compréhension plus pénétrante de chaque
moment de la vie.

S'élargir vers d'autres sensations

Lorsque vous avez atteint une bonne maîtrise de la
pratique de la respiration, vous pouvez élargir
votre conscience pour y inclure toutes sortes de
sensations, tant intérieures qu'extérieures – sentiments, odeurs, sons, visions. Imaginez que votre
conscience représente le zoom d'une caméra.
Jusqu'à présent, vous vous êtes contenté de vous
concentrer sur votre souffle ; vous pouvez maintenant vous reculer légèrement pour englober dans
votre champ de vision les sensations liées à votre
respiration.

TRUC

La simplicité avant tout

La méditation n'a pas pour ambition de vous trouver des techniques sympas pour combler vos heures de loisir mais de vous aider à franchir le cap capital entre agir et être. Ne faites pas l'erreur de faire de votre pratique méditative une de ces choses urgentes de plus à caser absolument dans votre emploi du temps surchargé ! Utilisez-la plutôt comme un oasis accueillant pour vous libérer de l'action, une occasion d'*être* enfin, sans stratégie ni agenda. En d'autres termes, elle doit avant tout rester simple. Essayez plusieurs techniques avant de déterminer celle qui vous convient le mieux puis n'en changez plus. Peu importe la méthode choisie, toutes vous conduiront à vous poser dans le moment présent.

MÉDITATION

Simplement assis

La pratique zen appelée *simplement* assis est une alternative à la pleine conscience que vous pouvez avoir envie d'essayer. Elle se compose normalement de deux phases ou étapes ; simplement respirer et simplement assis.

Une fois expert dans la pratique du souffle, essayez de devenir *votre souffle.* Vous avez bien lu, j'ai dit « devenir son souffle » - c'est-à-dire fusionner totalement avec le cours des inspirations et des expirations jusqu'à la disparition de l'observateur distinct que vous êtes qui laisse place au souffle. Vous ne respirez plus, votre respiration vous respire. Comme l'accueil de tout ce qui survient, cette pratique appelée *simplement respirer* est d'une simplicité enfantine mais requiert une immense concentration.

L'étape suivante, *simplement* assis consiste en un élargissement permettant d'englober l'ensemble des expériences sensorielles. Mais au lieu d'être conscient de votre expérience, vous « disparaissez », et seule demeure cette expérience – voir, respirer, entendre, sentir, penser. Comme le disait l'un de mes amis zen « lorsque l'on est assis, les murs de la salle de méditation s'écroulent et le monde entier peut alors pénétrer. » Cette méditation vous conduit à la même finalité que la pleine conscience ; elle est simplement l'alternative zen.

 S'il vous est difficile d'élargir votre conscience tout d'un coup, commencez par explorer les sensations qui attirent votre

attention. Vous suivez par exemple votre
respiration lorsque vous ressentez une
douleur dans le bas du dos. Au lieu de rester concentrer sur votre respiration comme
vous avez appris à le faire, occupez-vous
de la sensation de douleur et examinez-la
sous toutes les coutures jusqu'à ce qu'elle
ne soit plus prédominante dans votre
champ d'investigation. Revenez ensuite à
votre souffle jusqu'à ce que vous soyez de
nouveau attiré ailleurs.

Il vous est aussi possible d'élargir votre conscience
uniquement à certaines sensations – sensations
corporelles ou sons par exemple. Vous pouvez ainsi
méditer en attachant de l'important qu'aux bruits
qui vous entourent, sans vous concentrer sur un en
particulier. Cette pratique permet d'établir un équilibre entre la conscience intense indispensable pour
suivre son souffle et la conscience plus ouverte et
réceptive nécessaire pour accueillir une vaste pano-
plie de sensations. L'harmonisation entre la focalisation et la réceptivité est au cœur de la pratique
de la pleine conscience.

Lorsque vous avez maîtrisé cet exercice, vous êtes
fin prêt pour élargir votre conscience à l'ensemble
du champ sensoriel. Commencez par suivre votre

souffle puis élargissez le plus possible votre champ
pour laisser les sensations monter et passer dans
votre conscience.

Accueillir tout ce qui survient

Une fois habitué à inclure les sensations, il ne vous
reste plus qu'à ouvrir grandes les portes de votre
conscience pour accueillir cette fois toute expérience quelle qu'elle soit, y compris les pensées,
réflexions et émotions, sans les juger ni les chasser.
Sensations, pensées, réflexions et sentiments
doivent passer dans votre conscience sans vous
décentrer, comme des nuages traversant le ciel.

Le ciel n'est après tout jamais ni bouleversé ni
écrasé, quel que soit l'amoncellement de nuages :
il reste vaste et spacieux. Comme le ciel, conservez-
vous aussi un esprit vaste et ouvert.

Au début, votre attention semblera se déplacer
d'un objet d'étude à un autre comme sous le rayon
d'une lampe de poche. Contentez-vous de revenir à
un esprit vaste et ouvert. (Mise en garde : cette pratique, quoique très simple, est relativement
avancée et requiert une forte capacité de
concentration)

Dresser le chiot en vous

Comme le chiot incontrôlable, votre esprit est plein de bonnes intentions – il a seulement une volonté propre et doit perdre quelques très mauvaises habitudes. Il serait cruel de battre un chiot qui vient de faire pipi sur le tapis et plus avisé de le ramener patiemment à la pile de journaux sur laquelle vous voulez qu'il fasse ses besoins. Il en est de même pour votre esprit. Contentez-vous de le ramener calmement, sans colère, violence ou jugement, à son point de focalisation dès qu'il s'égare. Votre objectif est après tout de vous lier d'amitié avec votre esprit-chiot et non lui faire craindre votre présence.

Vous devez accorder à votre esprit encore plus de patience qu'à un jeune chiot car il a, pendant des années, développé un penchant pour les rêveries, l'inquiétude, l'obsession, et tout cela à cause d'une très mauvaise éducation. En apprenant à être calme et patient avec votre esprit, vous commencez naturellement à vous détendre au moment présent – ce qui est après tout l'objectif de la méditation. Si vous le contraignez à se concentrer, comme un sergent instructeur poussant ses troupes, vous ferez naître un sentiment de tension apeurée et de malaise – peu propices à vous motiver par la suite !

Comme je le dis dans plusieurs autres chapitres, l'apprentissage de la méditation est très proche de celui d'un instrument de musique. Il vous faut dans un premier temps acquérir quelques techniques de base, puis répétez inlassablement les mêmes gammes. Comme compter les respirations, faire des gammes peut être d'un ennui mortel, mais au fil des semaines vous vous améliorerez jusqu'au moment délicieux où vous parviendrez à jouer des morceaux simples. Il n'y a pas de secret, plus vous pratiquez, vous vous êtes à même de remarquer ces petites subtilités imperceptibles et plus faire des gammes – ou compter ses respirations – devient intéressant.

N'OUBLIEZ PAS

Travailler sur l'esprit lorsque l'on débute

La notion de « travail sur l'esprit » peut vous sembler au point pour l'instant totalement incompréhensible. Si les nuages obscurcissent entièrement votre esprit, vous ne voyez pas le moindre coin de ciel bleu derrière cet épais brouillard. Ce n'est pas grave, vous n'avez pas besoin, du moins au début, de faire attention à votre esprit ; continuez de suivre votre souffle et dès que vos pensées vous entraînent loin, ce qui vous arrivera constamment, revenez au point initial en

---

Travailler sur l'esprit lorsque l'on débute *(suite)*

douceur. L'intérêt n'est pas d'arrêter votre esprit – tâche de toute façon impossible à réaliser – mais de maintenir votre concentration quoi que fasse votre esprit.

Après plusieurs semaines ou mois de pratique régulière, vous remarquerez que votre esprit se calme plus rapidement pendant vos méditations et que les pensées perturbatrices diminuent. La qualité de votre esprit sera néanmoins variable d'un jour à l'autre, ou d'une méditation à l'autre.

L'idée maîtresse n'est pas de faire travailler votre esprit différemment mais de renforcer et stabiliser lentement mais sûrement votre concentration. Par la suite, vous réaliserez qu'il n'a plus sur vous la même emprise qu'il avait au départ et que vous pouvez maintenant jouir de moments de paix profonde et de tranquillité. Faites moi confiance, ce moment viendra – même pour vous !

Le Bouddha aimait à comparer la méditation à l'accordement d'un luth. Trop serrées, les cordes cassent et il est impossible de jouer. Pas assez, vous n'obtenez pas les bonnes notes. Vous devez vous aussi écouter attentivement votre instrument – votre corps et votre esprit – pendant la méditation pour en régler l'accordement. Si vous vous sentez un peu tendu, commencez par une relaxation profonde ; si vous êtes endormi ou avez l'esprit confus, asseyez-vous droit, soyez attentif et mettez l'accent sur votre concentration.

En ramenant inlassablement votre esprit vagabond, vous apprenez à reconnaître les histoires et thèmes récurrents qui troublent votre attention. Il peut s'agir d'inquiétudes liées à votre travail, de conflits familiaux, de fantasmes sexuels, de chansons populaires. Après un certain temps de pratique, vous acquerrez une meilleure compréhension du fonctionnement de votre esprit – et de la façon dont il vous stresse et fait souffrir. Et comme les tubes dont on raffole au début et qui finissent – rapidement – par lasser, vos vieilles histoires perdront leur emprise sur vous, vous laissant plus serein et plus paisible.

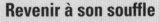

Revenir à son souffle

Programmez votre montre ou votre réveil pour qu'il sonne chaque heure. Lorsque vous entendez le bip sonore, laissez ce que vous étiez en train de faire et suivez votre souffle pendant 60 secondes. Si vous ne pouvez décemment pas tout arrêter (car vous êtes en voiture ou en réunion avec votre patron), suivez votre respiration avec autant d'attention que possible tout en poursuivant votre activité.

Chapitre 5

Les préparatifs : postures, étirements et s'asseoir sans bouger

• •

Dans ce chapitre :

▶ S'asseoir sans bouger : bienfaits et difficultés

▶ Quelques petits trucs ancestraux pour se tenir droit

▶ Méditer comme une montagne ou un arbre

▶ Être assis jambes croisées, assis sur une chaise ou à genoux

▶ Six étirements fondamentaux pour vous préparer à la position assise

• •

*V*ous connaissez peut-être déjà quelques techniques de méditation sans jamais les avoir véritablement mises en pratique car vous êtes incapable de rester assis sans bouger plus de quelques minutes, à plus forte raison 5, 10 voire 15 !

Très vite votre dos ou vos genoux vous font souffrir et vous avez très peur de commettre un mouvement dangereux voire irréparable. L'inconfort se manifeste aussi chez certains par des démangeaisons à des endroits les plus inattendus qu'ils ne peuvent s'empêcher de gratter ou encore une amplification insupportable des sons environnants – en Dolby stéréo rien que ça ! – qui leur font craindre la survenue de cambrioleurs ou entendre des robinets qui fuient derrière chaque porte !

Sans oublier ceux qui ont dû subir un professeur (pire : une mère ou un père !) qui les obligeait à s'asseoir sans bouger à leur bureau jusqu'à ce qu'ils aient fini leurs devoirs et que la seule idée aujourd'hui de ne pas pouvoir bouger fait se trémousser sur leur chaise !

Et pourtant, le simple fait de s'asseoir sans bouger est la garantie assurée de déloger toute l'agitation qui se trouve à votre insu en vous. Et pas de chance,

la méditation est indéniablement plus efficace
lorsque le corps reste immobile et le dos droit.
Que faire alors me direz-vous ?

Nous allons aborder dans ce chapitre la *topographie*
de la méditation et voir ce que la posture assise
sans bouger peut vous apporter. Nous verrons
quelques-unes des plus grandes techniques d'étirements indolores de la colonne vertébrale pour le
dos et vous pourrez pratiquer des postures de yoga
destinées à allonger et décontracter les muscles
impliqués dans la position assise – afin de pouvoir
tenir plus longtemps, en tout confort !

« Mettre un serpent à l'intérieur d'une tige de bambou » ou l'art subtil de la position assise sans bouger

 En parlant de rester assis sans bouger, l'un
de mes maîtres de méditation, le maître
zen Shunryu Suzuki, disait que le meilleur
moyen de révéler à un serpent sa vraie
nature était de le mettre dans une tige de

bambou vide. Arrêtons-nous un instant pour essayer de comprendre cette étrange métaphore. Que voulait-il dire ?

Imaginons que vous soyez un serpent que l'on a placé à l'intérieur d'une tige de bambou. Quel effet cela vous fait-il ? À chaque fois que vous essayez de glisser (ce que font généralement les serpents) vous vous heurtez aux parois de votre étroite demeure. C'est là que vous vous rendez compte à quel point votre corps est glissant !

De la même façon, rester assis dans une position donnée, le corps immobile (ou presque) revient à se trouver dans une tige de bambou qui vous renvoie chaque impulsion et chaque mouvement d'inattention. Vous comprenez alors combien votre corps est agité – et votre esprit, à l'origine de votre agitation corporelle, hyperactif. « Il faudrait peut-être que je me gratte, que je réponde au téléphone ou que je fasse cette course ». À chaque projet ou intention correspond une impulsion qui traverse les muscles et la peau. À moins de rester immobile, cette activité passe totalement inaperçue.

Le plus drôle est que vous êtes très capable de rester assis dans la même position pendant des heures sans même vous en rendre compte si vous êtes absorbé par l'une de vos activités favorites (regarder un film, surfer sur Internet, ou tout autre passe-temps). Essayez de faire quelque chose que vous trouvez désagréable ou ennuyeux – par exemple une activité étrange et peu familière comme porter son attention sur soi-même, suivre son souffle ou observer ses sensations – et chaque minute vous paraît aussi longue qu'une heure entière, chaque douleur prend des proportions inquiétantes, chaque chose à faire devient une urgence absolue.

En agissant et réagissant constamment à des pensées ou des stimulations extérieures, vous ne parviendrez jamais à découvrir comment fonctionne votre esprit. En restant au contraire assis aussi immobile que le serpent à l'intérieur de la tige de bambou, un miroir vous montre à quel point votre esprit peut être glissant et insaisissable.

L'immobilité est aussi un atout indéniable lorsque vous travaillez votre concentration. Imaginez un chirurgien du cœur ou un pianiste incapables de maîtriser les mouvements de leur corps ! Sachez que moins vous serez perturbé par les stimulations extérieures, plus il vous sera facile de suivre votre respiration, répéter votre mantra ou effectuer toute autre méditation.

Assis sans bouger et sans rien faire

Lorsque j'étais un jeune méditant zen, je faisais partie du personnel médical d'une maison de repos accueillant des personnes aussi différentes que cette jeune femme se remettant d'un cancer des os ou que le père d'un membre du Congrès qui se mourrait d'emphysème.

Quelqu'un, dans cette foule hétéroclite, me fascinait. Il s'agissait d'un vieux pêcheur italien qui avait perdu ses deux jambes dans un accident de pêche. Lorsque sa famille venait le voir, il tenait cour avec une grande dignité, recevant leurs hommages en tant que patriarche de la famille. Contrairement à beaucoup d'autres malades, heureux de rester toute la journée allongés dans leur lit en pyjama, il s'habillait, faisait sa toilette et s'asseyait avec fierté – droit comme un i – dans sa chaise roulante, observant en silence les évènements qui se déroulaient autour de lui.

Un jour, alors que je courais dans tous les sens sans savoir vraiment ce que je devais faire, le vieux marin m'appela, une lueur de malice dans les yeux. « Eh ! vous n'avez rien à faire ? » « Ouais » répondis-je d'un air énervé « je ne sais pas ce que je suis sensé faire. » « Si vous n'avez rien à faire » poursuivit-il « et bien asseyez-vous ! ».

Petite mise en garde : ces instructions pour s'asseoir n'ont pas pour objectif de vous transformer en pierre – pas plus que le bambou de transformer le serpent en tige ! Sachez que vous bougerez tant que vous serez en vie. Le but est de vous asseoir avec l'intention de rester immobile et d'observer ce qui se passe. Le Bouddha aimait à utiliser la métaphore du luth – trop serrées les cordes cassent, trop lâches elles sont injouables ! Si vous êtes trop tendu, vous terminerez la méditation dans un état lamentable et si vous bougez sans cesse, vous n'arriverez jamais à concentrer et apaiser suffisamment votre esprit pour tirer un quelconque bénéfice de votre séance.

Comment se tenir droit – et survivre !

Si vous regardez attentivement les postures préconisées dans les principales traditions spirituelles du monde, vous verrez qu'elles présentent toutes un point commun : la stabilité inébranlable d'une montagne ou d'un arbre. Regardez par exemple les pharaons à genoux sur les pyramides égyptiennes ou les bouddhas aux jambes croisées des grottes indiennes ou des temples japonais. Ils sont assis sur un vaste socle qui donne l'impression d'être profondément enraciné dans la terre et leur présence immobile semble dire « il est impossible de me faire bouger. Je suis là pour toujours. » (voir Figure 5-1)

Figure 5-1
Asseyez-
vous
comme
une mon-
tagne
(ici dans la
posture du
lotus) pour
rester
stable et
immobile.

Lorsque vous êtes assis bien droit comme une montagne ou un arbre, votre corps fait alors office de lien entre les cieux et la terre – et par analogie, entre votre existence physique et incarnée et la dimension sacrée ou

spirituelle de votre être. Un grand nombre
de traditions parlent de l'importance de
combler l'abîme apparent qui nous sépare
de Dieu ou de l'Absolu. Selon les mystiques
Juifs et Soufis, l'âme est une étincelle du feu
divin dont le seul désir est de retourner à sa
source. D'après les Chrétiens, l'âme est une
colombe qui s'élève. Pour les yôgis
tantriques de l'Inde (voir chapitre 3) il s'agit
de l'union extatique de *Shakti*, l'énergie fémi-
nine de l'évolution spirituelle qui remonte
depuis la colonne vertébrale, et de *Shiva*,
l'Absolu transcendantal.

Si toutes ces Notions spirituelles vous semblent
trop ésotériques voire carrément farfelues, sachez
qu'être assis le dos droit a aussi des avantages plus
pratiques. En alignant la colonne vertébrale et
ouvrant les canaux qui traversent le centre du
corps, cette position favorise une circulation sans
entrave de l'énergie qui facilite à son tour une vigilance à tous les niveaux – physique, mental et spirituel. Il est en outre beaucoup plus facile de rester
pendant longtemps assis sans bouger lorsque les
vertèbres sont entassées les unes sur les autres
comme une pile de briques. Sinon, après un
moment, la gravité a cette fâcheuse habitude d'attirer le corps vers le sol – provoquant les douleurs et

souffrances que rencontre tout organisme défiant les forces de la nature. La meilleure façon de s'asseoir sur le long terme est donc la position droite grâce à laquelle vous êtes en harmonie avec la nature.

Il est toujours possible, me direz-vous, de s'appuyer contre un mur. C'est ce que vous croyez, mais le corps a toujours tendance à se voûter lorsqu'il se penche, même imperceptiblement, d'un côté ou d'un autre. L'objectif de la méditation est de vous appuyer sur votre expérience directe et non de dépendre d'un support extérieur pour vous « seconder ». Être assis comme une montagne ou un arbre revient à faire la déclaration suivante « je suis profondément enraciné dans la terre mais ouvert aux puissances supérieures du cosmos – indépendamment et pourtant inextricablement liées à tout ce qui vit. »

Gérer la douleur

Si vous restez assis dans la même position, vous ressentirez inévitablement une douleur ou une gêne au bout d'un certain temps, et ce malgré tous les exercices d'étirements que vous pourrez faire. Un point dans le dos, une petite douleur dans le genou, des fourmillements dans les pieds, l'épaule qui lance – la liste des bobos est non exhaustive. Plus vous resterez assis longtemps et plus la douleur deviendra forte – tout comme l'envie de bouger ou de gigoter pour la soulager.

La solution ne consiste ni à changer immédiatement de position ni à prendre sur vous pour ignorer la gêne mais au contraire à élargir votre conscience pour y inclure votre douleur tout en continuant à suivre votre respiration ou tout autre objet de méditation. Si la douleur est trop forte, explorez-la directement en y accordant la même attention concentrée et compatissante que pour votre souffle.

Observez aussi la réaction de votre esprit face au mal. Invente-t-il une histoire du genre « Je ne suis pas assis correctement ; il doit y avoir quelque chose qui ne va pas avec mon dos ; faudrait pas que je me ruine les genoux » ? Le jugement porté par votre esprit intensifie-t-il la douleur et augmente-t-il votre inquiétude ?

Gérer la douleur

En accueillant dans votre conscience à la fois la douleur et la réaction de votre esprit, vous vous détendez par rapport à cette même souffrance – et vous noterez qu'elle diminue en intensité. La douleur physique et émotionnelle étant inévitables, la méditation assise est un formidable laboratoire pour expérimenter de nouvelles façons d'appréhender la souffrance et la gêne dans la vie quotidienne – dans le but ultime de les dépasser.

Un dernier mot, vous pouvez aussi bouger (en conscience) lorsque la douleur ou la gêne devient trop intense. Jouez (à votre avantage) simplement entre l'ouverture et la résistance. N'oubliez pas que certaines douleurs méritent une attention immédiate, notamment les douleurs lancinantes, celles qui débutent dès que vous êtes assis et les douleurs aiguës (plutôt que sourdes) au niveau des genoux. Il est préférable pour ces quelques cas d'opter pour une autre position assise.

De la taille aux orteils : comment s'y prendre ?

Comme un arbre qui doit s'enraciner profondément pour ne pas tomber en grandissant, vous devez trouver un moyen de positionner la partie inférieure de votre corps (de la taille aux orteils) assez confortablement pendant 5, 10, 15 minutes voire davantage. Après plusieurs millénaires d'expériences, les grands méditants nous ont légué des postures traditionnelles qui donnent pleinement satisfaction. Bien que très différentes, vues de l'extérieur, ces postures ont toutes un point commun : le bassin est légèrement incliné vers l'avant, accentuant la courbure naturelle du bas du dos.

Les postures suivantes sont classées plus ou moins dans un ordre croissant de difficultés (de la plus facile à la plus difficile) même si l'aisance dépend beaucoup de la morphologie et de la souplesse de chacun. Certaines personnes apprécient par exemple la position classique du lotus (qui doit son nom à sa ressemblance avec la fleur) comme les canards… un étang de lotus. Même si elle est difficile, cette position offre de nombreux avantages (voir l'encadré « Pourquoi le Bouddha utilisait-il la posture du lotus » à la fin de ce chapitre). Vous pourrez y parvenir par des étirements des hanches en suivant les exercices de yoga décrits dans la section « Préparer son corps à la position assise » plus loin. Surtout, ne jetez pas votre dévolu sur la posture qui semble la plus simple, essayez-les jusqu'à trouver celle qui vous convient le mieux :

✔ **Assis sur une chaise** : notez bien que j'ai dit assis et non avachi (voir Figure 5-2). Pour méditer sur une chaise, la combine consiste à surélever un peu les fesses par rapport aux genoux, ce qui permet de basculer légèrement le bassin vers l'avant et maintenir le dos droit. Les bonnes vieilles chaises de cuisine en bois sont nettement préférables aux chaises rembourrées ; essayez avec un petit coussin ou un morceau de mousse que vous calez sous les fesses.

✔ **Là position à genoux (avec ou sans banc)** : très populaire dans l'Égypte ancienne et dans le Japon traditionnel où elle est appelée « seiza » qui signifie « être assis en silence » (voir Figure 5-3), cette position peut mettre vos genoux à rude épreuve si vous n'avez pas un soutien correct. Essayez de placer un coussin sous vos fesses et entre vos jambes – ou bien utilisez un banc spécial, de préférence recouvert d'un petit coussin : vos fesses et autres parties molles risquent sans cela de s'endormir.

🖊 **La position facile** : elle est déconseillée si vous devez rester assis longtemps car la colonne vertébrale n'est pas maintenue droite et la position n'est pas stable. Asseyez-vous simplement sur un coussin, les jambes croisées en tailleur. Il n'est pas indispensable que vos genoux touchent le sol mais essayez de maintenir votre dos aussi droit que possible.

Figure 5-2
si vous méditez sur une chaise, il va vous falloir reprendre quelques vieilles habitudes !

Figure 5-3
Utilisez un coussin ou un petit banc pour empêcher les parties molles de s'endormir lorsque vous êtes à genoux.

Pour être plus stable, placez des coussins sous vos genoux ; diminuez-en progressivement l'épaisseur au fur et à mesure que vos hanches gagnent en souplesse (ce qui n'est qu'une question de temps). Lorsque vous arrivez à poser les genoux au sol, vous pouvez essayer la position birmane ou la position du lotus (voir postures suivantes).

Cette posture est une solution provisoire pour tous ceux qui n'arrivent pas à effectuer les autres positions présentées ici, ne peuvent s'agenouiller en raison de problèmes de genoux, ou ne veulent pas s'asseoir sur une chaise pour diverses raisons.

✔ **La posture birmane** : répandue dans l'ensemble du Sud-Est asiatique (voir Figure 5-4), cette posture demande de poser les deux mollets et les deux pieds au sol, l'un devant l'autre. Moins stable que les différentes postures du lotus, elle est cependant plus facile, notamment pour les débutants.

Pour toutes les positions assises en tailleur, pliez d'abord les genoux dans l'alignement des cuisses avant de pivoter les cuisses sur les côtés. Vous risquez autrement de vous blesser car contrairement à l'articulation mobile de la hanche, capable d'une multitude de rotations, celle du genou ne se fléchit que dans une seule direction.

✔ **Le quart de lotus** : posture identique au demi-lotus à la différence près que chacun des pieds est posé sur le mollet opposé, et non sur la cuisse (voir Figure 5-5)

Figure 5-4
la posture
birmane
est une
solution en
tailleur,
facile et
confor-
table, très
populaire
dans le
Sud-Est
asiatique.

✔ **Le demi-lotus** : cette posture est plus
facile à réaliser que le célèbre lotus
(voir posture suivante) et pratiquement aussi stable (voir Figure 5-6).
Les fesses sur un coussin, placez un
pied sur la cuisse opposée et l'autre
pied au sol, sous l'autre cuisse. Les
deux genoux doivent toucher le sol et
la colonne vertébrale ne pencher ni
d'un côté ni de l'autre. Pour répartir la
pression sur le dos et les jambes, n'oubliez pas, si vous le pouvez, d'alterner

le croisement des jambes à chaque fois (jambe gauche sur la cuisse, jambe droite au sol puis, la fois suivante, jambe gauche au sol et jambe droite sur la cuisse.)

✔ **Le lotus est considéré comme l'Everest des postures assises** (voir Figure 5-1) Assis en tailleur sur un coussin, amenez votre pied gauche sur votre cuisse droite et votre pied droit sur votre cuisse gauche. Comme pour le demi-lotus, plus asymétrique, il est conseillé d'alterner le croisement des jambes pour répartir plus équitablement la pression.

La position du lotus est pratiquée dans le monde entier depuis des milliers d'années. Posture de toutes la plus stable, elle ne doit cependant être tentée que par des personnes extrêmement souples. Et même à celles-là, je conseillerais de préparer leur corps avec quelques exercices d'étirement présentés à la fin de ce chapitre.

Figure 5-5
comme
son nom
l'indique,
le quart de
lotus est
moins
difficile
que son
ambitieux
grand
frère.

Figure 5-6
pour le
demi-lotus,
essayez
d'alterner
le plus
possible le
croise-
ment des
jambes à
chaque
séance.

Le dos droit, sans rigidité cadavérique !

Une fois confortablement assis, le bassin légèrement basculé vers l'avant, occupez-vous de vous
tenir le dos droit. L'adjectif « droit » est impropre
dans ce cas puisqu'une colonne vertébrale normale
décrit plusieurs courbes, une dans la région
lombaire (bas du dos), une autre dans la région
thoracique (milieu du dos) et une troisième au
niveau du cou (région cervicale).

Malheureusement, ces cambrures naturelles sont
souvent exagérées pour répondre aux exigences
des postes de travail informatiques et de tous les
environnements sédentaires. Progressivement, vous
prenez l'habitude de vous asseoir penché, les
épaules arrondies, le haut du dos affaissé, le cou et
la tête tendus vers l'avant à la manière du vautour
d'Amérique – exactement comme je suis moi-même
assis en ce moment !

Pourquoi le Bouddha s'asseyait-il dans la position du lotus ?

Quand nous étions petits, on ne nous a malheureusement pas appris à nous asseoir par terre en tailleur, comme chez les Indiens et de nombreux peuples traditionnels d'Asie. Cette position peut vous sembler au début difficile et rebutante et vous vous contenteriez bien du bien-être et du confort apparent d'une chaise. J'aimerais néanmoins vous encourager à l'essayer, à condition toutefois que votre corps et votre degré de confort vous le permettent. S'asseoir en tailleur n'est pas aussi ardu ou douloureux qu'il peut le paraître et procure des avantages exceptionnels.

Croiser les jambes assure des fondations solides pour le reste du corps et fait naturellement basculer le dos vers l'avant, exactement à l'angle idéal pour soutenir la colonne vertébrale. Être assis comme l'étaient les grands méditants d'autrefois confère également force et autorité à votre méditation – comme si le simple fait de croiser les jambes vous immergeait dans une rivière de conscience vieille de milliers d'années.

Autre point : avoir les fesses au sol ou tout près de la terre vous relie directement à la gravité et aux autres énergies émanant de la

Terre – donnant un sentiment palpable de puissance à votre méditation.

Pour terminer, sachez que tout ce que vous ferez de la moitié inférieure de votre corps est acceptable, à condition d'être confortablement assis, le dos droit et de ne pas souffrir. Mais vous pouvez travailler à étirer vos hanches afin de pouvoir, un jour, vous aussi, poser les deux genoux à terre et vous asseoir en tailleur.

Ce n'est peut-être pas en quelques séances de méditation que vous parviendrez à vous défaire de vos mauvaises habitudes mais vous pouvez vous entraînez à *étendre* votre colonne vertébrale (terme plus approprié que redresser) pour lentement mais sûrement lui redonner ses cambrures naturelles. Soyez attentif à la façon dont vous vous tenez dans la vie quotidienne de façon à corriger progressivement votre posture au volant ou à votre bureau par exemple.

Méditer sur votre posture

Au lieu de suivre votre respiration, et surtout lorsque vous avez besoin d'apaiser votre esprit avant de vous consacrer à la pratique de la pleine conscience, vous pouvez expérimenter la très ancienne technique zen servant à se concentrer sur une partie du corps. Essayez de placer votre esprit dans la paume des mains, si elles sont repliées dans l'une des positions zen appelées *mudrâ* (comme dans la Figure 5-1) – ou sur votre ventre, à environ 5 cm en dessous du nombril (point appelé *hara* au Japon). Après un petit moment et lorsque votre attention s'est stabilisée, élargissez votre focalisation pour englober votre corps tout entier, en conservant le même degré de concentration zen.

Pour découvrir ce que l'on ressent lorsque la colonne vertébrale est droite ou étendue, essayez l'une des trois (ou les trois) images suivantes. Pas la peine de vous regarder dans un miroir ou de vous comparer à un idéal que vous avez trouvé dans un livre (même dans celui-ci !). Ce qui

importe est ce que vous ressentez de l'intérieur. Vous devez avoir la sensation d'être
centré, stable, ancré au sol – dans l'aligne-
ment de la force de gravité :

✔ **Suspendre sa tête à un fil** : imaginez
   que votre corps entier soit suspendu
   dans l'air par un fil attaché au sommet
   de votre crâne. Au fur et à mesure que
   le fil tire votre tête dans les airs, notez
   comment votre colonne vertébrale
   s'allonge, votre bassin s'avance, votre
   menton rentre et l'arrière du cou
   s'écrase légèrement.

✔ **Empiler les vertèbres les unes sur les
   autres** : imaginez que vos vertèbres
   soient des briques que vous empilez
   les unes sur les autres, en commençant
   à la base de la colonne vertébrale.
   Sentez votre colonne monter vers le
   ciel brique après brique, comme un
   gratte-ciel.

✔ **S'asseoir comme une montagne ou un
   arbre** : imaginez que votre corps soit
   une montagne ou un arbre dont
   les vastes fondations s'enfoncent
   loin dans le sol, et dont le tronc ou

le sommet atteint le ciel
(voir Figure 5-7). Notez combien vous
vous sentez stable, solidement ancré
et indépendant.

Figure 5-7
Voici votre
position de
profil
lorsque
vous allon-
gez votre
colonne
vertébrale.

TRUC

Que faire des yeux, de la bouche et des mains ?

Lorsque j'ai commencé à méditer dans les années 60, je ne savais absolument pas quoi faire de mes yeux. Ils n'arrêtaient pas de passer d'un point d'attention au vague sans que je puisse les contrôler et je devenais obsédé par quelque chose qui avait jusqu'alors été totalement naturel. Jamais auparavant je ne m'étais soucié ce que je devais faire de mes yeux ! Finalement, je n'y ai plus prêté attention et ils ne m'ont plus jamais posé de problèmes.

Les yeux : Avant de démarrer, vous devez décider si vous voulez vous asseoir les yeux fermés, grands ouverts ou à moitié ouverts. Ensuite, ne vous en préoccupez plus et laissez-les faire ce qu'ils veulent. Il existe des pours et des contres dans les trois options.

Fermer les yeux empêche d'être distrait par des stimulations extérieures et vous aide à vous concentrer sur votre expérience intérieure. Malheureusement, cela favorise les rêveries et la somnolence. Ouvrir grand les yeux est le plus difficile à faire car votre conscience peut alors accueillir toutes les expériences extérieures, comme intérieures. Son avantage est de vous permettre de vous relever plus facilement pour retourner à vos occupations. Son inconvénient, notamment, si vous n'avez pas encore atteint un degré élevé de concentration, est de vous laisser distraire par tout ce qui passe dans son champ de vision.

Je conseille la plupart du temps de garder les yeux mi-ouverts, comme dans la tradition zen, d'orienter le regard sur un point donné du sol ; à environ 1 m ou 1,5 mètre devant vous – ou si vous préférez, de regarder vers le bas à un angle

Que faire des yeux, de la bouche et des mains ? *(suite)*

de 45°. Si vous vous sentez agité ou distrait, vous avez la possibilité de fermer un peu plus (ou complètement) les yeux ; si au contraire, vous vous sentez fatigué ou avez sommeil, vous pouvez les ouvrir davantage. Détendez vos yeux et relâchez votre focalisation lorsque votre regard devient fixe.

Les mains : Peu importe l'endroit où vous les mettez du moment qu'elles ne vous gênent pas et surtout que vous ne les changiez pas de place pendant toute la méditation. Les méditants expérimentés les placent généralement soit sur les genoux soit sur les cuisses.

Sur les genoux : essayez tout simplement de les serrer ou optez pour la position des mains (*mudra*) zen, plus traditionnelle, qui consiste à placer la paume de la main gauche dessus la main droite, environ 10 à 15 cm sous le nombril, les pouces légèrement relevés vers le nombril de façon à former une sorte d'ovale avec les autres doigts.

Sur les cuisses : Posez tout bonnement vos mains sur les cuisses, paumes vers le bas. Vous pouvez aussi tourner les paumes vers le ciel et, si vous le désirez, relier l'index et le pouce de chaque main de façon à former deux ovales selon un mudra traditionnel du yoga. Comme pour toutes les options présentées dans ce chapitre, seule l'expérience pourra vous dire ce qui fonctionne le mieux pour vous.

La bouche : gardez-la fermée (mais sans serrer les dents !) pendant que vous respirez par le nez, la langue légèrement appuyée contre le palais pour l'empêcher de bouger comme toute langue a coutume de faire !

Une fois que vous êtes assis droit, la colonne vertébrale allongée, vous pouvez balancer votre corps d'un côté à l'autre comme un balancier, d'abord largement, puis en diminuant progressivement le mouvement jusqu'au vous arrêter au centre. Avancez ensuite légèrement le bassin pour accentuer la courbure naturelle du bas du dos et recommencez le mouvement de balancier cette fois-ci d'avant en arrière (en gardant toujours le dos droit) jusqu'à l'arrêt au centre. Rentrez le menton et reculez doucement la tête vers l'arrière. Vous êtes prêt à commencer votre méditation.

Au départ, il vous faudra peut-être répéter ces techniques et ces images pour arriver à une position assise confortable. Par la suite, cela deviendra intuitif et rapide – vous n'aurez qu'à vous asseoir, vous balancez latéralement, allongez votre colonne vertébrale sans forcer et commencer votre méditation.

Zafus, bancs et autre attirail exotique

En fonction de la tradition méditative que vous étudiez, vous serez amené à découvrir un certain nombre d'instruments pour s'asseoir. Je connais certains yôgis qui jettent à terre un petit sac rectangulaire rempli de riz avant de s'y installer ingénieusement et de croiser les jambes dans la posture du lotus. De nombreux bouddhistes ou adeptes du zen préfèrent les coussins ronds et rembourrés appelés *zafus* (littéralement « objet pour s'asseoir » en japonais), souvent associés à une sorte de natte plate et carrée remplie de ouate dont ils se servent pour se surélever (voir Figure 5-8).

Figure 5-8

Voici
quelques
acces-
soires
pour être
bien assis :
un zafu,
un coussin
de soutien,
et un banc
rembourré.

Les zafus ont fait leur apparition dans les salles de méditation de toutes les lignées et confessions spiri-tuelles, depuis les soufis et les bouddhistes jusqu'aux moines chrétiens (pour en savoir plus sur les soufis, reportez-vous au chapitre 3). Ils sont généralement rembourrés de *kapok*, une fibre naturelle soyeuse qui empêche la déformation du coussin même après des usages répétés. Mais j'ai aussi vu des zafus plus lourds, garnis d'enveloppes de blé noir ou de ouate et même des formes rectangulaires rembourrées de mousses rigides de polyuréthane.

 Avant d'acheter un zafu, essayez-en plu-sieurs de tailles et de formes différentes, en faisant attention à leur confort, stabilité et hauteur. Vous devez pouvoir, si possible, poser le deux genoux au sol lorsque vous êtes assis, le bassin légèrement incliné vers l'avant.

SAGESSE POPULAIRE

Quatre postures qui ont fait leurs épreuves + quelques autres

Si aucune des postures assises ne vous convient, vous pouvez vous inspirer de la tradition bouddhiste qui offre quatre autres postures toutes aussi acceptables pour la méditation traditionnelle :

- Méditation assise
- Méditation debout
- Méditation en marchant
- Méditation allongée

Des statues géantes de l'Inde et du Sud-Est asiatique représentent le Bouddha en personne méditant allongé sur son côté droit, la tête posée dans sa main. Les yôgis et les ascètes ont pendant longtemps méditer debout, parfois sur un pied. La méditation en marchant est encore largement pratiquée dans le monde, depuis les monastères zen du Japon et des forêt de Thaïlande aux communautés soufies du Moyen-Orient et aux ermitages d'Europe et d'Amérique du Nord.

Les soufis reconnaissent bien évidemment une cinquième posture – la danse tournante des derviches – et les taoïstes enseignent l'art martial du T'ai chi comme une forme de mé-ditation en mouvement. En Occident, certains adeptes du psychiatre suisse Carl Gustav

Jung ont mis au point une danse méditative appelée « mouvement authentique » et on trouve aussi dans la tradition chrétienne la pratique d'une marche contempla-tive autour d'un labyrinthe en spirale. En fin de compte, toute activité peut devenir méditation à condition de la mener en pleine conscience.

Pendant les traditionnelles retraites silencieuses, j'ai vu des personnes méditer dans des chaises roulantes, des nouveaux se percher sur des coussins élevés, entourés de traversins, des anciens ne rien faire d'autre que marcher ou rester couché pendant 10 jours. J'ai également vu une photo du célèbre méditant indien Swami Muktananda le montrant en méditation, niché comme un oiseau dans un arbre. La vérité est qu'il n'existe pas une façon « correcte » de méditer – vous devez trouver celle qui vous correspond le mieux.

Si vous avez opté pour la position à genoux, essayez un zafu ou tout autre coussin pratique que vous posez parterre, entre vos jambes. Il existe aussi des bancs spécialement conçus pour la méditation. Le mot d'ordre est d'essayer avant d'acheter. Pour ce qui est des chaises, préférez les plus simples à dossiers droits – là, pas d'option exotique ! Un détail : les fesses doivent être légèrement surélevées par rapport aux genoux.

Préparer son corps à la position assise

Si vous êtes d'ors et déjà capable de rester assis immobile 10 à 15 minutes chaque jour, félicitations, vous pouvez vous passer des conseils pour étirer et fortifier votre corps, à moins bien entendu d'en avoir particulièrement envie.

Si vous vous faites partie de la majorité, tôt ou tard, votre corps réclamera votre attention, soit parce qu'au bout d'un moment vous sentez votre dos se raidir, soit parce que vous avez décidé de travailler sur une position en tailleur et que vous vous rendez compte que vos jambes manquent de souplesse.

Quelques postures de hatha-yoga peuvent produire des miracles et rendre la position assise très confortable ! Toutes les postures assises sont bien plus faciles à réaliser si votre dos est assez souple et robuste pour vous soutenir sans protester. Et si vous préférez croiser les jambes, étirer les hanches est indispensable pour être plus stable et ne pas faire souffrir les genoux.

Vous allez trouver dans les sections suivantes
6 postures de yoga (appelées *asanas*) pour vous
préparer physiquement à la position assise. Les
trois premières aident à étirer et fortifier le bas du
dos ; les trois suivantes, travaillent l'ouverture des
hanches et la souplesse. Lorsque vous avez choisi
les postures les plus appropriées à votre morphologie ou vos besoins, pratiquez-les avec douceur et
précaution, en réservant à votre corps le traitement
dévolu à un ami cher. Sachez apprécier l'étirement
mais ne forcez pas si vous sentez la moindre douleur (si vous n'avez pas de moquette, travaillez sur
un tapis ou une carpette de yoga).

La posture du chat et ses variantes

Observez un chat se détendre après son somme et
vous comprendrez le pourquoi de ce nom. Cette posture étire et fortifie la colonne vertébrale, constituant
également une excellente façon de démarrer la
journée. Commencez dès le réveil par vous échauffer
avec la posture du chat, poursuivez par quelques
minutes de méditation et vous voilà frais et dispos
pour le reste de la journée. (Figure 5-9)

Figure 5-9
Arrondissez
le plus
possible
votre dos
comme
un chat.

La posture du chat :

À genoux, les mains et les genoux au sol, la colonne
vertébrale en position horizontale, les bras et les
cuisses perpendiculaires au sol (dans la position
d'un animal à quatre pattes).

1. **Expirez tout en arrondissant lentement le
   dos, en débutant par l'étirement du coccyx.**

2. **Essayez de sentir chaque vertèbre de la
   colonne se plier.**

3. **Arrivé au point culminant, rentrez légèrement le menton.**

4. **Inspirez tout en descendant lentement le
   dos, en commençant par le coccyx puis relevez légèrement la tête à la fin de l'étirement.**

**5. Continuez d'alterner inspirations-expirations
   10 à 15 fois.**

Il existe aussi deux variantes à cette posture :

> ✔ La première consiste, à partir de la
>   position de départ à quatre pattes,
>   à tourner doucement la tête sur l'expi-
>   ration vers la hanche gauche que vous
>   amenez simultanément vers la tête.
>   Revenez au centre pendant l'inspira-
>   tion puis recommencez de l'autre côté.
>   Continuez cette alternance 10 à 15 fois.

> ✔ La seconde consiste, à partir de la
>   position de départ à quatre pattes,
>   à avancer légèrement les mains et
>   à effectuer de grands cercles avec les
>   hanches, en avançant sur l'inspiration
>   et en reculant sur l'expiration.
>   Recommencez 10 à 15 fois.

La posture du cobra

Cet asana qui doit son nom à sa ressemblance avec
le gracieux serpent, étire la colonne vertébrale – et
constitue une excellente antidote à la tendance très

répondue d'affaisser les épaules vers l'avant.
Au lieu de commencer par le bas du dos (et de
risquer de trop arquer), prenez garde à démarrer
l'étirement en haut du dos puis de descendre
lentement le long de la colonne vertébrale
(voir Figure 5-10).

Figure 5-10

Pour lutter
contre
l'affaisse-
ment du
dos, rele-
vez le haut
de votre
dos à la
manière
du
serpent.

Pour tirer tous les bienfaits de cette posture :

1. **Allongez-vous sur le ventre, le front au sol.**

2. **Placez les mains sous les épaules, doigts vers
   l'avant, extrémités ne dépassant pas les
   épaules.**

3. **Ramenez les coudes de sorte que vos bras touchent votre torse.**

4. **Serrez les pieds et exercez une pression des cuisses et des jambes sur le sol.**

5. **Relevez légèrement la poitrine, en soulevant et étirant à partir du haut du dos, la tête et le cou dans l'alignement du dos.**

   Si vous avez l'impression au début de ne pas monter bien haut, ne forcez pas. Votre dos s'assouplira avec de l'entraînement.

6. **Les épaules détendues, étirez votre poitrine vers le haut et vers l'avant pour ouvrir votre abdomen tout en exerçant une pression du bassin sur le sol.**

7. **Respirez doucement et profondément en conservant votre position pendant 5 à 10 respirations.**

8. **Pendant l'expiration, déroulez lentement, vertèbre par vertèbre, jusqu'à revenir en position couchée, face contre terre, le front au sol.**

9. **Tournez la tête de côté et détendez-vous complètement.**

La posture de la sauterelle

Cette posture rappelle l'attitude de la sauterelle qui se tient l'abdomen en l'air derrière elle (voir Figure 5-11). En étirant et renforçant les muscles du bas du dos, elle offre un meilleur soutien du dos, indispensable pour pratiquer les positions assises, que ce soit dans les méditations ou dans la vie sédentaire qui est le lot de la majorité d'entre nous. Commencez par la demi-sauterelle et passez à la posture de la sauterelle lorsque votre dos est suffisamment souple. (Si vous souffrez de problèmes de dos ou si une douleur apparaît lors de la pratique de la demi-sauterelle, cette posture est déconseillée). Bougez avec lenteur et précaution, en évitant tout mouvement douloureux – à ne pas confondre avec la sensation de tiraillement d'un bon étirement.

Figure 5-11

Imaginez-vous, les jambes surélevées comme la sauterelle !

Voici la marche à suivre :

1. **Mettez-vous à plat ventre, le menton touchant le sol et les bras le long du corps, paumes vers le haut.**

2. **Serrez partiellement les poings puis glissez les bras sous le corps, les mains au niveau du bassin, sous l'os pubien, les pouces se touchant légèrement.**

3. **À ce stade, les deux postures sont possibles :**

   Si vous désirez uniquement faire la demi-sauterelle : contractez légèrement les muscles fessiers en inspirant. Expirez en levant une jambe en l'air, sans plier le genou. Gardez la position entre 5 et 10 respirations puis reposez. Faites la même chose avec l'autre jambe. Refaites l'exercice 3 à 4 fois de chaque côté. Lorsque vous avez terminé, tournez la tête sur le côté et détendez-vous.

   Si vous désirez faire la posture de la sauterelle : contractez légèrement les muscles fessiers en inspirant. Pendant l'expiration, levez les deux jambes simultanément, en gardant les genoux droits. Maintenez la position pendant 5 à 10 respirations, en respiration profondément avec l'abdomen. Reposez les jambes, tournez la tête sur le côté et détendez-vous.

La posture de la fente

Annoncé comme un étirement du dos, cet asana ouvre également les hanches et l'aine (voir Figure 5-12). Si vous n'avez pas le temps de pratiquer un grand nombre de postures, établissez un mini programme en ajoutant à celle-ci, celles du chat et du papillon (expliquée ci-après).

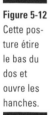

Figure 5-12
Cette posture étire le bas du dos et ouvre les hanches.

Procédez comme suit :

1. **Mettez-vous à genoux, les mains à terre, le dos à l'horizontal, bras et cuisses perpendiculaires au sol (comme un animal à quatre pattes).**

2. **Avancez le genou gauche puis posez le mollet gauche au sol, le talon près de l'aine droite.**

3. **Étirez votre jambe droite derrière vous, le genou face au sol et bien droit.**

4. **Descendez le bassin vers le sol tout en relevant et avançant doucement le buste, le poids du corps se trouvant sur les bras et la jambe droite.**

   Prenez garde à ce que tout mouvement de torsion dans la jambe pliée s'effectue au niveau de l'articulation de la hanche et non de celle du genou. Vous devez sentir un tiraillement à l'arrière du dos, dans l'articulation de la hanche de la jambe pliée et à l'aine, la hanche et la cuisse de la jambe droite.

5. **Maintenez la fente entre 5 à 10 respirations puis changez de jambes.**

La posture du papillon

Particulièrement stimulante pour les coureurs et autres athlètes, cette posture étire l'intérieur de la cuisse, l'aine et la hanche. Comme le suggère son nom, elle vous permet d'ouvrir progressivement vos « ailes » et vous prépare aux postures en tailleur en vous aidant progressivement à poser les genoux au sol (voir Figure 5-13).

Figure 5-13
Montrez-vous à la hauteur du défi en apprenant à ouvrir vos ailes.

Voici comment faire pour prendre votre envol :

1. **Asseyez-vous parterre, les jambes étendues devant vous.**

2. **S'il vous est difficile de garder le dos droit, placez un coussin sous vos fesses de façon à incliner légèrement le bassin vers l'avant.**

3. **Pliez les genoux et joignez les plantes de pied, les côtés extérieurs posés sur le sol comme sur le schéma ci-contre.**

   Mains jointes sur les pieds, amenez vos talons le plus près possible de l'aine. Exercez ensuite une pression sur les genoux, sans forcer, tout en étirant votre colonne vertébrale.

Vous devez sentir un tiraillement à l'aine, aux cuisses, aux hanches et dans le bas du dos. Ne vous inquiétez pas si vos genoux se redressent. Il est plus important de garder le dos droit que de leur faire toucher le sol.

N'OUBLIEZ PAS

Dix mesures rapides pour préparer votre corps à la méditation

Cette liste pratique est un résumé facile à utiliser des mesures détaillées dans ce chapitre :

1. **Bien placer les jambes.**

2. **Étirer la colonne vertébrale.**

3. **Balancer le corps latéralement.**

4. **Balancer le corps d'avant en arrière.**

5. **Incliner le bassin légèrement vers l'avant et assouplir le ventre.**

6. **Rentrer doucement le menton.**

7. **Poser la langue sur le palais et respirer par le nez, si possible.**

8. **Poser les mains sur les cuisses ou les genoux.**

9. **Décontracter le corps de la tête aux pieds, en libérant le plus possible la tension ou l'inquiétude.**

10. **Commencer la méditation.**

4. **Gardez la position pendant 5 à 10 respirations lentes avec l'abdomen.**

5. **Pendant l'expiration, relâchez vos pieds, étirez vos jambes devant vous et détendez-vous.**

L'étirement du berceau

Comme son nom l'indique, cet étirement consiste à bercer votre jambe dans vos bras comme s'il s'agissait d'un bébé, afin d'étirer et d'ouvrir vos hanches (voir Figure 5-14). Prenez garde à lever lentement et doucement la jambe – il s'agit d'un exercice d'étirement et non de torsion.

Suivez ces instructions avec tout l'amour et l'attention d'une mère :

1. **Asseyez-vous parterre, les jambes étirées devant vous.**

2. **Pliez un genou, faites pivoter la cuisse sur le côté et bercez la partie inférieure de la jambe dans vos bras. Les mains jointes, placez le genou dans le creux du coude et votre pied dans le creux de l'autre coude.**

3. **Le dos et la tête bien droits, dans l'aligne-ment l'un de l'autre, bercez doucement votre jambe à l'horizontal, en pivotant au niveau de la hanche.**

4. **Poursuivez ce mouvement pendant 5 à 10 respirations profondes et régulières. Posez votre jambe en effectuant le mouve-ment inverse depuis le début puis recom-mencez l'exercice avec l'autre jambe.**

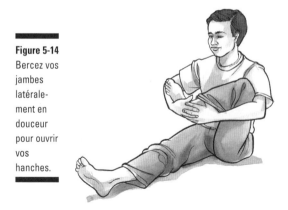

Figure 5-14
Bercez vos
jambes
latérale-
ment en
douceur
pour ouvrir
vos
hanches.

EXERCICE

Garder la tête froide et les épaules solides

Dans le zen, une bonne posture ne se résume pas à la position du dos et des jambes mais fait référence à l'attitude envers la vie en général. Attentif tout en étant détendu, vous affrontez chaque moment et chaque situation en face, avec une allure qui semble dire « Je suis ouvert à tout ce qui peut survenir. Je suis présent et prêt à répondre. » L'un de mes professeurs appelait cela « garder la tête froide et les épaules solides ».

Si vous avez une montre-réveil, programmez-la pour sonner chaque heure du reste de la journée. (Si vous n'en avez pas, faites cet exercice à intervalle régulier.) À chaque sonnerie, observez votre corps pendant quelques instants. Comment vous tenez-vous ou comment êtes-vous assis à ce moment précis ? Êtes-vous affalé ou complètement voûté ? Si c'est le cas, que perdriez-vous à vous redresser et à retrouver votre centre de gravité ?

Notez en poursuivant vos activités, l'effet de ce changement si infime sur votre humeur et votre attitude face à la vie.

Chapitre 6

Où s'asseoir, que porter et autres questions pratiques

∙ ∙

Dans ce chapitre :

▶ Ne pas se refroidir, être confortablement installé et le fin du fin de la méditation

▶ Trouver un moment pour méditer dans votre emploi du temps surchargé

▶ Chronométrer vos méditations : versions longues/versions courtes

▶ Gérer la nourriture, les boissons et vos péchés mignons

▶ Créer un lieu propice à vos méditations

∙ ∙

*L*orsque j'ai commencé à méditer à l'université, je prenais le métro une fois par semaine pour me rendre de mon appartement au petit centre zen de l'autre côté de la ville. Dès que je pénétrais à l'intérieur, l'odeur de l'encens, les nattes en paille japonaises, la simplicité de l'autel et les robes sombres des membres me rappelaient que je venais d'entrer dans un lieu particulier, dédié à la pratique de la méditation. Je sentais alors ma respiration devenir plus profonde et mon esprit s'apaiser – et j'étais frustré de ne pas pouvoir retrouver la qualité méditative dont je faisais là l'expérience dans l'appartement exigu que le partageais avec trois amis.

Au fil des années, j'ai compris que l'environnement physique autour de la méditation – quand, où et comment vous êtes assis, ce que vous portez, l'énergie que vous y investissez – peuvent avoir un impact important sur la qualité de la méditation. Essayez de suivre son souffle dans un aéroport très animé ou un lieu de travail très bruyant a un côté sympathique il est vrai, mais vous atteindrez plus vite la profondeur dans un endroit calme, spécialement conçu pour méditer.

Votre rêve est peut-être de vous exiler dans un ashram (lieu de retraite en Inde) ou de rejoindre toute autre communauté spirituelle. Là tout est pris en charge, vous n'avez plus qu'à méditer, dormir et manger. Bon voyage et bonne chance ! Si cette solution n'est tout simplement pas envisageable et qu'il vous faille trouver le temps et l'espace pour méditer sans renoncer à vos occupations dévoreuses de temps, ce chapitre est pour vous.

Vous trouverez dans ces pages comment choisir l'endroit le mieux adapté à vos méditations, des informations sur la durée et le bon moment pour méditer ainsi que quelques indications pour créer un autel qui encourage vos efforts. Après le monastère, le lieu de méditation que vous avez vous-même conçu est le meilleur endroit au monde pour méditer.

La tenue : confortable avant d'être à la mode

Si cela vous semble aller de soi, vous ne pouvez pas imaginer le nombre de personnes qui se présentent pour méditer en jean serré et tee-shirt moulant – dans lesquels ils sont bien évidemment incapables de respirer correctement, et encore moins de s'asseoir en tailleur ! L'idéal est de porter des vêtements amples et larges et d'éviter tout ce qui pourrait entraver la respiration et la circulation sanguine. Les vêtements de sport font très bien l'affaire mais si vous préférez plus chic, optez pour des pantalons à cordon de serrage, élégants mais confortables, que vous trouverez déclinés dans toutes les couleurs et les matières dans les catalogues de ventes par correspondance.

Méditer avec la musique

Lorsque vous allez tout simplement trop vite pour vous arrêter et prêter attention, certaines musiques peuvent vous aider à vous régler sur un rythme plus lent, plus posé et plus harmonieux avant de commencer votre méditation. Le choix dépend avant tout de vos goûts : ce qui plaît à l'un ne plaît pas forcément à l'autre. Il a été montré, et ce n'est pas une blague, que de nombreux adolescents se détendaient en écoutant du hard rock !

Pour apaiser la bête furieuse en vous à la fin d'une longue journée harassante, choisissez votre CD préféré – de préférence un qui capte votre attention et vous apaise. Lorsque vous sentez votre respiration devenir plus facile, vous pouvez rejoindre votre lieu de méditation.

Écoutez de la musique peut aussi devenir une méditation. Commencez par être attentif à la musique exactement s'il s'agissait de votre respiration. Au lieu de partir dans vos pensées ou rêveries, prenez conscience de chaque son émis. Lorsque votre esprit s'égare, ramenez-le avec douceur. Par moments, vous serez si pris par la musique que vous, auditeur, disparaîtrez pour ne plus laisser place qu'à la musique. Ces moments de méditation profonde vous offrent une vision fugitive de votre être essentiel, que l'esprit ne comprend pas mais qui a malgré tout un grand effet salutaire.

La température corporelle et la pression artérielle ayant tendance à baisser pendant la méditation, il se peut que vous ayez légèrement plus froid que d'ordinaire. Prévoyez un pull ou une couverture en lainage.

Tous les moments sont bons pour méditer

Si vous avez un emploi du temps de ministre, bloquez dans votre agenda des périodes précises de méditation. Si vous pouvez vous offrir le luxe de choisir ou si

vous désirez méditer aussi souvent que
vous en avez envie, voici les meilleurs
moments pour s'asseoir et méditer – sans
oublier que tout moment et toute activité
peut vous donner au bout du compte
l'occasion de développer votre attention.

- ✔ **Tôt le matin** : selon la tradition, le
  meilleur moment pour méditer se situe
  une à deux heures après votre réveil –
  qui a eu lieu de préférence au moment
  du lever du jour. C'est la période à
  laquelle votre esprit et votre corps
  sont revigorés et stimulés par le
  profond sommeil et ne sont pas encore
  obsédés par les inquiétudes et soucis
  quotidiens. Vous parviendrez plus
  facilement à vous concentrer et rester
  présent. En commençant par une
  méditation, vous donnez aussi le ton à
  la journée qui s'annonce et pouvez
  alors étendre la tranquillité d'esprit à
  toutes vos activités.

- ✔ **Avant de vous coucher** : certaines personnes mettent une, voire deux heures
  pour émerger du brouillard irréel du
  sommeil tandis que d'autres n'ont que

le temps de sauter du lit, d'avaler une tasse de café avant d'être englouti par les transports en commun. Si vous avez les jambes en coton lorsque vous vous levez ou si vous devez passer à la vitesse supérieure dès que vous posez le pied à terre, essayez de méditer avant de vous coucher. C'est une excellente préparation au sommeil qui permet à l'esprit de s'apaiser et de passer de l'éveil au sommeil. Ceux qui pratiquent à l'heure du coucher disent souvent que leur sommeil est ensuite plus paisible et qu'ils dorment moins.

L'inconvénient est de se sentir trop fatigué ou trop tendu après une rude journée et de préférer plonger dans un bain chaud ou s'écrouler devant la télévision. Pourtant une fois l'habitude prise, ces méditations du soir sont très profitables et présentent des avantages propres.

✔ **En rentrant du travail** : même si elle n'est pas aussi fiable que la période du matin ou du soir car elle est souvent utilisée pour faire les courses, préparer le repas, ou caser les urgences familiales, la période de transition entre le travail et le domicile est un moment approprié pour vous accorder un peu de temps pour respirer profondément et laisser votre corps et votre esprit se calmer – au lieu de prendre votre journal ou d'allumer la télé.

✔ **Les heures de repas ou de pause café** : si vous êtes seul dans un bureau et disposez de temps pour manger le midi ou faire une pause café – je dis bien « si » car de plus en plus de personnes mangent aujourd'hui sur le pouce, souvent en marchant – prévoyez d'apporter votre repas ou de prendre votre café à l'avance et de réserver une partie de votre heure de pause à la méditation. Vous pouvez aussi préparer un endroit spécifique dans votre bureau pour la méditation si cela ne pose pas de problème.

✔ **En attendant le retour des enfants ou tout autre temps mort** : Comme beaucoup de parents, vous passez certainement chaque semaine un nombre incalculable d'heures à accompagner vos enfants d'une activité ou d'un rendez-vous à un autre, assis dans la voiture ou à vous promener en les attendant. Au lieu de feuilleter un magazine ou d'écouter la radio, consacrez ce temps de répit à la méditation. (Faites de même lorsque vous êtes dans la salle d'attente du médecin ou du dentiste !) L'environnement ne sera peut-être pas le meilleur, la posture peut-être pas la plus confortable mais vous avez devant vous un précieux moment d'oisiveté ; faites-en le meilleur usage.

La méditation en marchant

Entre les périodes de méditation assise formelle, les méditants de tous les temps ont pratiqué la conscience attentive en marchant. Elle permet de rompre avec la monotonie de la posture assise, tout en restant une forme de méditation à part entière – et un moyen extraordinaire d'élargir la pleine conscience développée sur le coussin ou la chaise au monde en mouvement dans lequel nous vivons.

Dans certains monastères zen, la méditation en marchant ressemble à une sorte de course à pied calme et consciente ; inversement dans des contrées

La méditation en marchant *(suite)*

de l'Est Asiatique, le mouvement peut être presque imperceptiblement lent. Vous pouvez adopter une approche intermédiaire entre les périodes de méditation assise mais aussi dès que vous désirez ralentir un peu et être attentif à votre marche. Si le temps le permet, marchez dehors ; sinon, faites des va-et-vient chez vous.

1. **Commencez par marcher à allure normale, en suivant vos inspirations et vos expirations.**

2. **Réglez votre respiration sur vos pas.**

   Vous pouvez par exemple faire trois pas à chaque inspiration puis trois autres pendant l'expiration ce qui, comme vous le constaterez en essayant, est nettement plus lent que l'allure normale. Si vous voulez augmenter ou diminuer votre vitesse, changez simplement le nombre de pas à chaque respiration. Gardez la même allure à chacune de vos marches. (Si vos inspirations et vos expirations sont de longueurs différentes, adaptez vos pas en conséquence.)

3. **En plus de votre respiration, soyez attentif aux mouvements de vos pieds et de vos jambes.**

   Notez le contact de vos pieds avec le sol. Regardez devant vous, à un angle d'environ 45°.

Détendez-vous, marchez avec aisance et facilité.

4. Poursuivez votre marche attentive et régulière aussi longtemps que vous le désirez.

Si votre attention dérive, ramenez-la à votre marche.

Combien de temps une méditation doit-elle durer ? Ça dépend !

La méditation ressemble à l'acte sexuel en bien des points dont voici l'un d'entre eux : vous pouvez l'apprécier court et rapide ou lent et long. Quelle que soit votre préférence, vous serez d'accord avec moi pour admettre que tout contact sexuel avec l'être aimé est préférable à l'absence de rapport.

Il ne vous reste plus qu'à appliquer cette maxime à la méditation et vous comprendrez. Si vous n'arrivez pas à programmer une demi-heure, méditez 10 minutes seulement. Il vaut mieux s'asseoir pendant 5 à 10 minutes tous les jours qu'une heure une fois par semaine – les deux étant toujours possibles. Comme toutes les instructions données dans ce livre, essayez-les avant de choisir celle qui vous convient le mieux.

Les montres-réveils numériques permettent de chronométrer avec précision vos méditations sans avoir à regarder l'heure. Vous pouvez aussi utiliser une petite cloche, comme c'est la pratique dans de nombreuses cultures traditionnelles, pour en sonner le début et la fin.

✔ **Cinq minutes** : si vous débutez, cinq minutes vous sembleront peut-être une éternité ! Commencez doucement puis augmentez la longueur de vos séances au fur et à mesure que votre intérêt et votre plaisir s'accroissent. Le temps que vous calmiez votre corps et parveniez à vous concentrer sur votre respiration, les cinq minutes seront peut-être déjà passées ! Si la séance vous semble trop courte allongez-la un peu la fois suivante. Avec de la pratique, vous découvrirez que cinq minutes seulement peuvent avoir des effets immensément revigorants.

✔ **De 10 à 15 minutes** : comme tout le
monde, il vous faudra certainement
plusieurs minutes en début de méditation pour vous stabiliser, plusieurs
autres pour entrer dans le processus
et quelques autres encore à la fin pour
vous réadapter, ce qui vous laisse une
poignée de minutes au milieu pour
approfondir votre concentration et
élargir votre conscience. Une fois arrivé
à ce stade, essayez de vous tenir à
15 minutes par jour pendant plusieurs
semaines pour voir comment votre pouvoir de concentration se développe.

✔ **De 20 minutes à 1 heure** : plus la
séance est longue, plus vous avez de
temps entre les préliminaires et la fin,
et plus votre temps de concentration
et de décontraction est important. Si
vous êtes motivé et en avez le temps,
je vous conseille vivement de consacrer entre 40 minutes et 1 heure
chaque jour à méditer. Vous sentirez la
différence – et comprendrez pourquoi
la plupart des professeurs de méditation recommandent cette durée d'une
traite. Peut-être est-ce à cause de la

capacité d'attention de l'homme – les séances de psychothérapies ne durent-elles pas 50 minutes, de même que la durée maximale des séries télévisées ainsi que beaucoup de cours scolaires ? Important : la régularité vaut toutefois mieux qu'une longue séance un jour puis plus rien le restant de la semaine.

À quoi bon chronométrer les méditations ?

Vous pouvez très bien vous asseoir pour méditer lorsque bon vous semble et vous relever quand vous avez fini. Mais il existe aussi de bonnes raisons de décider par avance du moment et de la durée de votre méditation et de vous en tenir à votre programme :

✔ **L'esprit est aguicheur** : si vous ne vous engagez pas à rester immobile pendant une durée déterminée, il trouvera toutes les meilleures raisons du monde pour vous contraindre à vous lever et faire autre chose. Il est donc préférable de l'observer présenter ses arguments sans vous laisser séduire.

✔ **Il n'est pas toujours facile de se rendre compte de l'heure** : une fois que vous avez décidé du temps que vous allez consacrer à votre méditation, vous n'avez plus à vous soucier de l'heure – il ne vous reste plus qu'à vous détendre et vous concentrer.

✔ **Vous apprenez à être régulier** : comme pour travailler un muscle, vous pouvez commencer par 5 minutes d'exercices puis augmenter progressivement pour atteindre 15 à 20 minutes. Refaire les mêmes gestes à la même heure tous les jours donne un rythme circadien naturel à votre méditation et vous l'intégrer plus facilement dans votre vie.

Faut-il manger et boire avant la méditation ? Que faut-il éviter ?

Les repas copieux ont tendance à assoupir, notamment s'ils sont riches en glucides. Il est donc préférable de manger léger – voire pas du tout – ou d'attendre au moins une heure après un gros repas. Vous pouvez aussi suivre les instructions de la tradition zen qui recommandent de ne manger qu'au deux tiers de son appétit et de s'arrêter avant d'être rassasié. Un bon conseil à suivre pour garder la ligne.

Pour ce qui est de la boisson (et du tabac), voici quelques conseils. Je connais personnellement des méditants expérimentés qui aiment boire une tasse de cappuccino avant de méditer et au moins un maître zen qui a pris pour habitude de méditer dès son lever, après avoir trop bu de saké la veille. En règle générale, il vaut mieux cependant s'abstenir de toutes substances agissant sur le cerveau (café, alcool, tabac, marijuana et autres drogues) avant de méditer.

Lorsque vous réaliserez à quel point être présent et concentré et non dispersé ou drogué est bénéfique pour vous, vous diminuerez naturellement votre consommation.

Par la méditation, vous devenez plus sensible à votre état d'esprit, et accédez à un état d'euphorie qui rend ces substances inutiles ou dépassées.

Si votre motivation première pour méditer est de réduire votre stress ou d'améliorer votre santé, il est peut-être préférable de songer à l'abstinence totale. Croyez-moi, céder ne fait qu'accroître le stress existant.

TRUC

La méditation et la TV : du canapé au coussin

Je dois avouer que je fais partie de ceux qui pousse un hourra à chaque fois qu'ils voient l'autocollant « Tuez votre TV ». Je vais vous expliquer pourquoi. La télévision ne se contente pas de vous inonder d'images déstabilisantes que vous n'aurez pas autrement à supporter – images de conflits, de cruauté, de séduction, d'exploitation et de violence pure et simple qui laissent une impression durable et profonde – elle émousse aussi votre esprit en l'habituant à une stimulation ininterrompue. Submergé en permanence par les images et les sons, l'esprit éprouve de plus en plus de difficultés à apprécier les moments ordinaires de la vie et les degrés d'expérience plus imperceptibles (subtiles) – ceux recherchés dans la méditation.

Des études ont également montré que les heures passées devant la télé entravaient l'intégration et le développement naturels et normaux des lobes cérébraux. Les enfants élevés devant la télé sont généralement moins créatifs, plus agités, plus agressifs et s'ennuient davantage que ceux qui la regardent modérément ou pas. Vous êtes-vous déjà demandé pourquoi les ados traînaient dans

La méditation et la TV : du canapé au coussin *(suite)*

les centres commerciaux, avec cet air abruti et apathique ? La réponse est peut-être là.

Il va de soi que troquer une heure de canapé pour une heure de coussin est le meilleur service que vous puissiez vous rendre ! Vous y trouverez certainement plus facilement ce que vous cherchez – détente, joie, bonheur, tranquillité d'esprit – et vous en sortirez régénéré et plus ouvert à toutes nouvelles expériences, extérieures comme intérieures.

Comme la plupart des drogues, le petit écran est difficile à combattre. Allez-y lentement, en le remplaçant quelques heures par semaine par des activités réellement plus enrichissantes et épanouissantes – faire une promenade, discuter avec un ami, passer du temps avec votre famille. Vous n'êtes peut-être pas prêt aujourd'hui à renoncer à votre feuilleton ou à votre série préférés, aux matchs de foot ou à votre sacro-sainte soirée devant la télé, mais demain est un autre jour.

Où méditer ? Créer un espace sacré

Vous avez peut-être déjà vu ces peintures chinoises représentant un sage barbu dans sa robe flottante, assis en profonde contemplation devant un sommet majestueux, une chute d'eau dégringolant dans un fracas assourdissant derrière lui. Vous avez peut-être rêvé un jour d'être perdu dans la montagne et de consacrer le reste de votre vie à méditer dans le silence. La vie ne nous permet, hélas, que très rarement de réaliser de tels rêves !

Pas la peine de vous raser la tête et de partir en retraite, quelques conseils vous permettront de vous réserver un endroit unique pour vos méditations. Cet espace enrichira votre vie dans des proportions dont vous n'avez encore pas idée.

Méditer dans la nature

Comme vous l'avez sûrement remarqué, la nature possède le pouvoir sans pareil d'apaiser le corps et l'esprit. Que vous soyez assis face à la mer à écouter le clapotis des vagues ou parmi les roches et les arbres en randonnée, il est inutile de pratiquer une technique de méditation traditionnelle – ouvrir les

Méditer dans la nature *(suite)*

sens et laisser la nature produire son enchantement suffit. Sans fournir le moindre effort, vous commencez à sentir que votre esprit se stabilise, que vos inquiétudes de dissipent, que votre respiration devient plus lente et plus profonde et que votre cœur se remplit de gratitude et d'amour.

En tant qu'espèce, nous avons évolué dans le monde naturel ; les animaux et les plantes nous ont enseigné depuis la nuit des temps comment méditer. Dans la nature, vous êtes revenu à la source ; la facilité et la familiarité que vous ressentez vous invitent à retourner en vous-même, à l'intérieur de votre « nature » la plus intime. N'est-il pas étonnant et juste que les mots soient les mêmes ? Pénétrer à l'intérieur d'un cadre naturel peut arrêter net votre esprit, et vous sentez alors la présence de quelque chose de plus profond et de plus significatif.

Efforcez-vous de méditer dans la nature aussi souvent que possible et notez l'état d'esprit et de cœur que cela suscite en vous. Même si vous vivez en ville, vous trouverez un parc, un jardin, un petit bois ou un point d'eau. Lorsque vous méditez chez vous par la suite, évoquez l'écho de ces moments passés dans la nature pour approfondir votre pratique.

Pourquoi est-il préférable de méditer toujours au même endroit ?

De la même façon qu'un moment régulier, se retrouver chaque jour au même endroit présente des avantages incomparables :

> ✔ **Moins de distractions** : lorsque vous débutez, vous devez déjà affronter un arsenal de distractions, autant intérieures qu'extérieures. À quoi bon y ajouter les nuances d'un environnement extérieur toujours changeant ? Lorsque vous avez pris l'habitude de voir les mêmes petites taches sur la moquette ou les mêmes lézardes dans le mur, votre attention s'en détache automatiquement pour ne plus se concentrer que sur l'objet important : la méditation.
>
> ✔ **De bonnes vibrations** : plus vous venez méditer dans votre espace, plus vous y insufflez l'énergie de vos efforts – en d'autres termes de bonnes vibrations. À chaque fois que vous y retournez, votre méditation est stimulée et soutenue par l'énergie que vous y avez

investie, de la même manière que vous vous détendez beaucoup mieux dans votre fauteuil favori.

✔ **Des souvenirs apaisants** : une fois retenu, l'espace est automatiquement associé à la méditation, d'autant plus si vous y laissez votre autel et vos accessoires. Le simple fait de passer devant au cours de votre journée vous incite à y revenir dès que l'occasion se présente. Si votre méditation comporte des aspirations spirituelles, votre espace devient un endroit sacré dans lequel se produisent vos réflexions et vos visions intérieures les plus profondes.

Comment trouver le bon endroit ?

Si vous partagez un petit appartement avec un partenaire ou un ami ou si votre famille a investi chaque centimètre carré de disponible, réservez-vous coûte que coûte le dernier petit coin de libre. Si vous disposez d'une marge de manœuvre plus grande, ces quelques conseils vous aideront à établir

au mieux votre choix. Sachez qu'un simple
bout de parquet répondant à ces critères
est préférable à une suite somptueuse qui
n'y répond pas :

✔ **Hors des sentiers battus** : éloignez-
vous le plus possible des axes les plus
fréquentés de votre domicile. Si vous
ne voulez pas que quiconque vienne
vous déranger juste au moment où
vous commencez à vous installer, pré-
venez vos colocataires que vous allez
méditer – ils comprendront. Et s'ils ne
le comprennent pas c'est un autre type
de problème qu'il vous faudra alors
résoudre.

✔ **Loin de ce qui peut rappeler le
travail** : si vous travaillez chez vous ou
si vous avez un bureau réservé au
travail, il doit rester hors de vue – et
d'esprit – pendant que vous méditez.
Essayez aussi de débrancher
(ou d'éteindre) le téléphone. Il n'y a
rien de plus gênant que de chercher à
deviner qui peut bien essayer de vous
joindre !

✔ **À l'écart du bruit** : si vous vivez en ville, il vous sera difficile d'éliminer les bruits de fond – bourdonnement de la circulation, cris et rires des enfants dans la rue, mise en marche du réfrigérateur, du congélateur. L'important est d'éviter d'être à portée d'oreilles des conversations, notamment entre personnes que vous connaissez, de la télévision, de la radio, de la musique et autres distractions familières. Ce sont ces bruits reconnaissables qui détournent votre esprit de sa tâche, surtout en tout début de méditation.

✔ **Régler la lumière** : trop vive ou éclatante, la lumière a un effet stimulant et gênant ; inversement, trop faible, vous risquez de vous endormir. Réglez l'intensité lumineuse en fonction de votre degré d'attention : si vous avez sommeil, ouvrez les persiennes ou éclairez davantage ; si vous êtes très énervé, préférez une lumière plus douce.

✔ **À l'air frais** : puisque c'est là qu'il est question de respiration, l'idéal est d'avoir un peu d'air frais. Évitez les sous-sol qui sentent le renfermé ou les pièces sans fenêtre ; en plus d'être néfastes pour votre santé, ils diminuent votre énergie (et votre taux d'O2) et endorment.

✔ **Près de la nature** : Si la fenêtre devant laquelle vous méditez ne donne ni sur un arbre ni sur un jardin, placez-y une plante ou un vase rempli de fleurs ou quelques pierres. Non pas dans l'objectif de les fixer pendant votre méditation mais simplement parce que les objets naturels émettent une énergie particulière qui étaye votre pratique. Vous pouvez aussi emprunter quelques tuyaux en regardant les roches et les arbres méditer – ils ont nettement plus d'années de pratique que nous. (Reportez-vous à l'encadré « Méditer dans la nature » page précédente).

Comment dresser un autel – et à quoi cela peut-il bien servir

Pour bien des personnes, le mot « autel » est lourd de connotations. Il rappelle à certains un passé d'enfants de chœur, est lié pour d'autres à des occasions spéciales (mariage, enterrement, messe commémorative).

Dans ce livre, j'ai choisi le mot « autel » pour désigner un ensemble d'objets ayant une résonance et un sens particuliers pour vous, placés dans un lieu spécifique et qui facilitent votre inspiration pendant les méditations. Un Chrétien peut par exemple utiliser un crucifix ou une colombe ; un Juif, un livre sacré ou une étoile de David ; un Bouddhiste, une statue du Bouddha ou une photo de son maître. Si vous n'êtes d'aucune confession religieuse, quelques pierres, une bougie et une plante en pot feront tout à fait l'affaire.

TRUC

Sur quoi poser ses yeux ?

Si vous méditez les yeux fermés, cela n'a pas réellement d'importance ; si au contraire, vous voulez garder les yeux ouverts, il est préférable d'éviter les vues grouillantes d'activités ou gênantes. Dans certaines traditions, les moines zen s'assoyent face à un mur. Vous pouvez soit regarder un panorama naturel, qui aura un effet apaisant, soit, faute de mieux, vous placer devant votre autel. L'important pendant la méditation est de ne voir que des choses simples qui contribuent à la tranquillité d'esprit.

Si un autel n'est pas essentiel, il peut être une expression créatrice, en constante évolution, de votre vie intérieure, une réflexion de vos aspirations, valeurs et convictions les plus profondes. Contempler votre autel avant de vous asseoir peut évoquer votre lien avec la dimension spirituelle de votre être – ou tout bonnement vous rappeler les raisons de votre présence : développer votre concentration, vous détendre, ouvrir votre cœur, guérir votre corps. Voici les principaux éléments que l'on trouve sur la plupart des autels (voir également Figure 6-1) ; n'hésitez pas à en ôter ou en rajouter selon vos besoins et préférences :

- Bougies
- Fleurs
- Encens
- Clochettes
- Objets naturels
- Statues (de personnages inspirateurs)
- Photos (de la Nature ou de personnages inspirateurs)
- Textes sacrés

Figure 6-1
L'autel
vous
apporte de
l'inspira-
tion pen-
dant vos
médita-
tions.

Certaines traditions conseillent de composer un autel qui fasse appel à tous les sens – ce qui explique la présence d'encens, de clochettes, de fleurs et de bougies sur de nombreux autels personnels. Très vite, le parfum d'un encens que vous aimez beaucoup devient indissociable de la méditation : il vous suffit alors de le sentir pour que vous commenciez à vous relaxer.

Comme pour la méditation, il est préférable de limiter au départ votre autel au strict minimum. Utilisez un petit meuble ou une petite table basse (si vous méditez au sol) que vous recouvrez d'un tissu de votre choix. Avec le temps, vous pourrez enrichir et agrandir votre autel ou, si vous le désirez, prévoir une provision d'objets et effectuer des sortes de rotations selon votre humeur. Pourquoi ne pas suivre le rythme des saisons et le garnir par exemple de fleurs au printemps, de coquillages en été, de feuilles mortes en automne et de pommes de pin en hiver ?

TRUC

En guise d'avertissement à propos des photos : il est recommandé de consacrer l'autel à un mentor, un professeur ou autre personnage dont la présence vous remplit d'une inspiration pure et de réserver les photos de ceux que vous aimez pour lesquels vos sentiments peuvent être plus ambivalents (enfants, parents, conjoints ou amis) à votre bureau ou d'autres endroits de la maison.

EXERCICE

À la découverte de la beauté

Même dans les situations les plus chaotiques et les moins attrayantes, vous pouvez être sensible à une qualité ou une dimension de la beauté, si vous voulez bien vous en donnez la peine. Imaginez que votre esprit soit comme une platine laser que vous essayez de régler sur un mor-ceau particulier. Ou prenez un casse-tête

236 Deuxième partie : Cette fois, on y va

À la découverte de la beauté *(suite)*

en trois dimension. Au départ, vous n'arrivez même pas à distinguer la forme à l'arrière-plan puis, lorsque vous l'avez perçu, vous n'avez presque même plus besoin de faire attention pour la redécouvrir.

La prochaine fois que vous vous trouvez dans une situation ou un lieu peu engageants – pas trop chargé émotionnellement de préférence pour ne pas rendre l'exercice trop difficile – faites comme suit :

1. **Consacrez un moment à trouver quelque chose de beau.**

   Il peut s'agir d'une pelouse au loin d'un beau vert, d'un bouquet de fleurs sur une table, du rire d'un enfant, d'un joli meuble voire, d'une sensation de chaleur dans votre ventre ou votre cœur.

2. **Respirez profondément, écartez toute sensation de gêne ou de stress et prenez plaisir à regarder la beauté.**

   Laissez cette beauté résonner pendant quelques instants comme si c'était un morceau de musique ou une marche dans la forêt.

3. **Recentrer votre attention sur votre situation présente et notez dans quelle mesure votre attitude a changé.**

   Vous savez à présent qu'il vous est possible de déplacer votre conscience à chaque fois que vous en avez envie.

Troisième partie

La méditation
en marche

« Les enfants adorent lorsque leur père médite. »

Dans cette partie...

*V*ous découvrirez comment élargir votre méditation à chaque domaine de votre vie. Après tout, à quoi bon s'asseoir calmement pendant une demi-heure si c'est pour être aussi stressé le reste de la journée ? Lorsque vous serez capable de rester présent, pleinement conscient et garder votre cœur ouvert même lorsque vous vous disputez avec votre partenaire, que vous êtes coincé dans les embouteillages, que vous devez gérer un enfant qui hurle ou un patron en colère, vous saurez méditer quel que soit le lieu où vous vous trouvez. Vous trouverez également dans cette partie quelques-unes des grandes techniques destinées à guérir ou être plus performant.

Chapitre 7

Comment méditer dans la vie quotidienne

● ●

Dans ce chapitre :

▶ Quelques tuyaux pour élargir votre méditation à toutes vos activités.

▶ Prendre conscience de vos réactions face aux situations auxquelles vous êtes confronté – et adapter votre vie en conséquence

▶ Partager les bénéfices de la méditation avec votre partenaire ou votre famille

▶ Découvrir les plaisirs secrets la méditation dans les relations sexuelles

● ●

J'ai comparé plus haut la méditation à un laboratoire dans lequel vous appreniez à faire attention à votre expérience, à découvrir comment cultiver les qualités de paix, d'amour et de bonheur. Disons que les découvertes effectuées dans l'espace surveillé et contrôlé de votre laboratoire n'ont qu'une portée limitée tant que vous ne savez pas les appliquer dans des situations et à des problèmes de la vie réelle. De même, les aptitudes, visions intérieures et sentiments de paix que vous développez sur le coussin ne vous mèneront pas bien loin tant qu'ils y resteront confinés. Voilà, nous touchons maintenant à l'objectif même de la méditation qui est de vous aider à vivre une vie plus heureuse, plus pleine et moins stressante !

Au fur et à mesure que vous serez capable d'être plus attentif pendant vos séances de méditation, vous apprendrez tout naturellement à porter une attention plus consciente sur tout ce qui vous entoure, sur et en dehors du coussin. Quelques petits tuyaux pour élargir la pratique de la pleine conscience afin de rester ouvert, présent et attentif à chaque instant, même dans les situations les plus difficiles ou peu motivantes (être bloqué dans un embouteillage, faire le ménage, s'occuper des enfants ou gérer des situations conflictuelles au

travail) pourront quand même vous être utiles.
Ils vous seront aussi bénéfiques pour encore mieux
réussir votre vie de famille ou votre vie de couple,
dans tous ses aspects, y compris sexuels.

La paix à chaque pas : étendre la méditation à vos activités quotidiennes

Voici une citation qui exprime l'esprit de la méditation en marche mieux que tout ce que je pourrais
vous dire. Elle est tirée de *Peace Is Every Step*, écrit
par le moine bouddhiste zen vietnamien Thich Nhât
Hanh.

« Chaque matin, lorsque nous nous levons, nous
disposons de vingt-quatre nouvelles heures à vivre.
Quel don précieux ! Nous avons la capacité de vivre
de telle façon que ces vingt-quatre heures appor-
tent paix, joie et bonheur à nous-mêmes et aux
autres…Chacune de nos respirations, chacun de
nos pas peut être rempli de paix, de joie et de sérénité. Nous avons uniquement besoin d'être éveillé,
et conscient du moment présent. »

Celui qui a écrit ces lignes n'est ni un reclus ni un optimiste béat ; il a pratiqué la pleine conscience à une période extrêmement difficile. Il a travaillé inlassablement pendant la guerre du Vietnam à la réconciliation des factions en conflit dans son pays d'origine ; a créé et dirigé la Délégation Bouddhiste pour la Paix lors des Conférences de Paix de Paris. En récompense de ses efforts, il fut même proposé par Martin Luther King Jr. pour le prix Nobel de la paix en 1967. Thich Nhât Hanh, contraint à l'exil depuis 1966, vit actuellement dans le Sud de la France, au sein d'une petite communauté qu'il a créé en 1982 sous le nom de *Village des Pruniers* où il enseigne la pleine conscience en marche (un mélange de vie en pleine conscience et de responsabilité sociale. Il incarne réellement l'enseignement qu'il prêche.

Comme le dit Thich Nhât Hanh, vous devez être éveillé et conscient du moment présent – car après tout, c'est le seul que vous ayez. Mêmes les souvenirs du passé et les projections du futur se déroulent dans le présent. Si vous ne vous réveillez pas pour sentir le parfum des fleurs, le goût de ce que vous mangez et regarder la lumière dans le regard de ceux que vous aimez, vous ratez la beauté et la valeur de votre vie. Comme le dit Thich Nhât Hanh : « chaque pensée, chaque action dans la lumière de la conscience devient sacrée. »

D'un point de vue plus pratique, vous ne pouvez réduire votre stress qu'en sortant de votre tête (lieu où toutes les pensées et émotions stressantes rivalisent pour attirer votre attention) et vivre pour ce qui se déroule ici et maintenant. Lorsque vous aurez appris à être présent pendant vos méditations, il vous faudra *conserver* cette faculté pour toujours, à chaque instant, si vous ne voulez pas retomber dans vos vieilles habitudes stressantes. D'ailleurs, être parfaitement conscient de ce que vous faites ou vivez est formidablement bénéfique, et vous apporte :

- ✔ De la concentration, de l'efficacité et de la précision dans ce que vous faites

- ✔ Une expérience d'effort sans peine, de flux et d'harmonie

- ✔ Une diminution du stress car l'esprit n'est pas perturbé par ses inquiétudes et soucis et coutumiers

- ✔ Une meilleure jouissance de la richesse et des trésors de la vie

✔ Une plus grande disponibilité ou présence et la faculté d'ouvrir votre cœur et d'être touché et ému par les autres

✔ Des liens plus profonds avec vos amis et vos proches

✔ Une ouverture d'esprit vers la dimension spirituelle de la vie

Il est inutile de devenir moine bouddhiste pour pratiquer la pleine conscience – vous pouvez vous éveiller et être attentif au beau milieu d'activités les plus quelconques. Certaines des techniques et trucs conçus par les grands enseignants, que je vais exposer dans les paragraphes suivants, peuvent cependant vous être particulièrement bénéfiques.

Revenir à votre souffle

Il arrive parfois que vous alliez si vite et que vous gériez tant d'affaires à la fois que vous ne savez plus comment (ni à quoi) être attentif. « Où donc poser mon attention » vous demandez-vous alors « lorsque les choses vont si vite ? » Tout comme vous pouvez commencer votre pratique traditionnelle de la pleine conscience en comptant ou suivant vos respirations (voir chapitre 6), il vous est toujours possible de revenir à l'expérience directe et simple de votre souffle, même dans les situations les plus compliquées. Peu importe le nombre de choses que vous faites en même temps, vous continuez de respirer – et l'expérience physique d'inspirer et d'expirer constitue un point d'ancrage important pour votre attention en période de stress. Ensuite, lorsque vous êtes revenu à votre souffle, vous pouvez progressivement élargir votre attention pour y englober la pleine conscience de vos autres activités.

Porter une attention consciente sans forcer sur votre souffle a un effet apaisant : votre attention se détourne de vos pensées, votre esprit se ralentit pour se mettre au pas et au rythme de votre corps. Un corps et un esprit parfaitement synchronisés procurent une aisance naturelle, une harmonie et une tranquillité intérieures que les circonstances externes ne parviennent pas à troubler.

Commencez par arrêter ce que vous êtes en train de faire et vous concentrer sur votre souffle. Vous pouvez poser votre attention soit sur le mouvement de votre ventre soit sur la sensation produite par l'air entrant et sortant de vos narines. Soyez attentif à ces sensations pendant

4 ou 5 respirations, en appréciant la simplicité et l'authenticité de l'expérience. Respirer consciemment permet de rester éveillé et présent ici et maintenant. Reprenez ensuite vos activités normales tout en continuant d'être conscient de votre souffle. (Si cette conscience pluridimensionnelle vous semble trop complexe ou trop confuse, contentez-vous de revenir de temps à autre à votre respiration.)

Écouter la cloche de la pleine conscience

Les monastères utilisent traditionnellement des cloches et des gongs pour signaler au moines et nonnes de suspendre leurs activités, de lâcher leurs pensées et leurs rêveries et poser en douceur leur attention au moment présent. Puisque ni vous ni moi ne vivons avec des cloches, Thich Nhât Hanh suggère d'utiliser les sons répétitifs de notre environnement pour nous rappeler gentiment de nous réveiller et d'être attentif.

Vous pouvez par exemple faire sonner votre montre toutes les heures et prendre le temps alors d'apprécier votre souffle pendant une minute ou deux avant de reprendre votre travail (en toute conscience, il va de soi !) Mais vous pouvez aussi entendre la cloque de la pleine conscience dans la sonnerie de votre téléphone ou lors du démarrage de votre ordinateur ou dans le bruit de l'alarme de la voiture que vous désactivez avant de l'ouvrir. N'oubliez pas de vous arrêter, de savourer votre respiration puis de continuer en restant pleinement conscient et vivant.

Savourer un repas en mangeant en toute conscience

Vous est-il déjà arrivé de terminer un repas en vous demandant qui avait bien pu finir votre assiette ? Vous vous souvenez parfaitement de l'avoir apprécié au début puis d'avoir remarqué tout d'un coup que votre assiette était vide et que vous n'avez prêté attention à aucune des bouchées entre temps. Peut-être avez-vous discuté en mangeant avec un ami ou lu le journal ou vous êtes-vous perdu dans vos soucis financiers ou sentimentaux.

Voici une méditation qui va vous permettre d'être attentif à ce que vous mettez dans votre bouche. Vous allez savourer ce que vous mangez comme vous ne l'avez encore jamais fait et – en prime – faciliter votre digestion en réduisant le stress ou la tension que vous apportez vous-même à

Savourer un repas en mangeant en toute conscience

table. (Vous n'aurez probablement pas envie de manger tout le temps avec une telle attention, mais une petite dose de pleine conscience à chaque repas sera néanmoins bénéfique.)

1. **Avant de commencer à manger, prenez le temps d'apprécier votre nourriture.**

   Vous avez peut-être envie, comme dans la tradition zen, de songer à la Terre, aux rayons du soleil qui ont donné la vie à cette nourriture, à l'effort de tous ceux qui ont contribué à l'apporter sur votre table. Vous pouvez aussi exprimer vos remerciements à Dieu ou à l'esprit – ou tout simplement vous asseoir en silence et éprouver de la gratitude pour ce que vous avez. Si vous mangez avec d'autres personnes, tenez-vous par exemple par la main, souriez-vous ou établissez une autre forme de contact.

2. **Portez votre attention sur votre main au moment où vous amenez le premier morceau de nourriture à la bouche.**

   Vous pouvez, comme il est d'usage dans certaines traditions monastiques, manger plus lentement que la normale. Si cela ne vous convient pas, mangez à votre rythme habituel en étant aussi attentif que possible.

3. **Soyez bien conscient au moment où la première bouchée pénètre à l'intérieur de votre bouche et inonde vos papilles de sensations.**

Remarquez la tendance de l'esprit à juger la saveur : « c'est trop épicé ou trop salé » ou encore « ça ne ressemble pas à ce que j'attendais. » Notez toutes les émotions que cette bouchée peut susciter : déception, soulagement, irritation, joie. Observez d'éventuelles répercussions de plaisir ou de chaleur ou toute autre sensation physique. Bon appétit !

4. **Si vous parlez en mangeant, regardez les conséquences de la conversation sur votre état.**

Certains sujets vous stressent-ils ou rendent-ils votre digestion plus difficile ? La conversation vous empêche-t-elle d'apprécier ce que vous mangez ou bien parvenez-vous à conjuguer les deux ?

5. **Restez attentif à chaque bouchée pendant l'intégralité du repas.**

C'est probablement la partie de l'exercice la plus difficile car nous avons tendance à nous éloigner dès que nous avons identifié la saveur de notre repas. Pourtant, vous pouvez apprécier son goût nouveau à chaque bouchée. (En cas

Savourer un repas en mangeant en toute conscience

de distraction, arrêtez-vous et respirez quelques instants avant de reprendre le cours de votre repas.)

6. **Pour faciliter la pleine conscience, vous pouvez de temps à autres, manger en silence.**

Vous risquez de trouver cela étrange ou gênant au début mais vous vous rendrez progressivement compte qu'un repas silencieux peut vous apporter un répit substantiel face aux pressions de la vie.

Même l'absence de sons peut constituer un rappel important. Dès que vous rencontrez un feu rouge par exemple, au lieu de céder à la contrariété ou à l'anxiété, mettez-vous à l'écoute de vous-même, respirez avec conscience et relâchez votre tension et votre hâte. Vous pouvez aussi laisser des moments de beauté vous réveiller – une jolie fleur, le sourire d'un enfant, le coucher du soleil à travers les rideaux, une tasse de café bien chaude. Enfin, rien ne vous empêche d'acheter une cloche traditionnelle et de la faire tinter de temps en temps.

Se libérer de la tyrannie du temps

Le sentiment d'être dirigé par son carnet de rendez-vous et de ne plus avoir de temps pour communiquer avec soi-même et avec ceux qu'on aime est de plus en plus fréquent. Rien ne vous oblige à laisser l'horloge mener votre vie. Si ne vous est pas toujours possible de bousculer votre emploi du temps, vous pouvez sans aucun doute modifier votre relation au temps.

Voici quelques conseils dans ce sens adaptés du livre de Jon Kabat-Zinn *Full Catastrophe Living* :

✔ **Rappelez-vous que le temps est une convention créée par notre esprit pour nous aider à organiser nos expé-** **riences**. Il n'a pas de réalité absolue comme l'a découvert Einstein. Lorsque vous vous amusez le temps passe à vitesse grand V, lorsque vous souffrez ou vous ennuyez, chaque minute semble durer une éternité.

✔ **Vivez le plus possible dans l'instant présent**. Le temps étant une création des pensées, vous sombrez dans une dimension éternelle lorsque vous contournez l'esprit qui pense et posez votre attention ici et maintenant. Dès que vous commencez à planifier l'avenir ou regretter le passé, vous vous retrouvez

Se libérer de la tyrannie du temps *(suite)*

immédiatement lié par les pressions du temps.

✔ Prenez le temps de méditer quotidiennement. La méditation vous enseigne à être présent et vous offre l'entrée la plus efficace dans le royaume éternel. Comme le dit Jon Kabat-Zinn, « S'engager simplement à pratiquer le non-faire, à renoncer à lutter, à être neutre…nourrit l'éternel en vous. »

✔ **Simplifiez-vous la vie**. Si vous remplissez votre vie de quêtes triviales et d'habitudes dévoreuses de temps, il ne faut pas vous étonner de ne plus avoir que des miettes pour les choses qui comptent vraiment.

Faites le bilan de vos journées et envisagez peut-être d'abandonner une ou plusieurs activités qui ne vous tiennent pas tant à cœur ; vous ralentirez le rythme ce qui vous laissera le temps de vous retrouver.

✔ **N'oubliez pas que votre vie vous appartient**. Même si vous avez une famille à vous occuper ou un travail qui exige votre attention, gardez à l'esprit que vous avez le droit de répartir votre temps comme bon vous semble. Vous ne lésez personne si vous consacrez une demi-heure par jour à la méditation.

Répéter une expression pour vous aider à être conscient

Il existe dans la tradition juive des prières spéciales pour presque toutes les occasions (aussi bien lorsqu'on voit un éclair que lorsqu'on mange un morceau de pain) qui servent à rappeler aux fidèles que Dieu est continuellement présent. Les Bouddhistes ont recours à de courts couplets qui les aident à revenir à la simplicité toute bête d'être à chaque instant. Les Chrétiens disent les grâces avant les repas, avant d'aller se coucher et au cours d'autres occasions. Contrairement aux mantras – mots ou courtes expressions répétés à l'infini – ces vers ou prières diffèrent d'une situation à l'autre et ne délivrent qu'un seul message.

Thich Nhât Hanh conseille par exemple de psalmodier en silence les vers suivants pour parfaire la pleine conscience et faire de la respiration consciente une occasion de se détendre et de savourer la vie :

En inspirant, j'apaise mon esprit

En expirant, je souris

Demeurant dans le moment présent

Je sais que c'est un moment merveilleux

Synchronisez le premier vers avec l'inspiration, le second avec l'expiration et ainsi de suite – et respectez ce que vous dites. C'est-à-dire apaisez votre esprit, souriez-vous (voir l'encadré Pratiquer un demi-sourire, plus loin dans ce chapitre) et apprécier l'instant présent. Avec l'habitude, il vous suffira de dire « apaisement, sourire, moment présent, moment merveilleux. » Si vous n'êtes pas emballé par la terminologie de Thich Nhât Hanh, n'hésitez pas à utiliser les vers de votre composition pour toutes les situations quotidiennes comme la respiration, la nourriture, le bain, le travail et même le téléphone ou les toilettes.

Observer l'effet des différentes situations sur vous

Une fois que vous commencez à étendre votre pratique de la pleine conscience à une gamme beaucoup plus vaste d'expériences sensorielles, vous pouvez également amener cette conscience intérieure sur toutes vos autres activités. Au milieu de perdre contact avec vous-même pendant que vous regardez la télévision, conduisez ou travaillez sur votre ordinateur, il vous est possible de maintenir ce qu'un professeur appelle la *conscience double* c'est-à-dire une conscience simultanée de ce qui se passe autour de vous et de l'effet de cette situation ou activité sur vous.

Vous remarquerez progressivement que vous êtes tendu lorsque vous roulez trop vite, nerveux ou agité lorsque vous regardez certaines émissions télévisées ou totalement amorphe au lieu d'être revigoré après avoir passé plusieurs heures au téléphone. Vous n'avez pas besoin d'exprimer un quelconque jugement ou d'élaborer des aménagements à partir de ce que vous découvrez. Contentez-vous d'en prendre note. Si vous avez à cœur de cueillir les fruits de votre méditation, vous vous écarterez naturellement de situations (habitudes, activités de loisir, personnes, environnements de travail) qui vous stressent et vous vous tournerez vers des situations qui vous aident à être calme, détendu, en harmonie et en contact avec vous et les autres.

Lorsque votre souffrance et votre stress reposent sur vos schémas habituels et vos émotions difficiles, la conscience double vous aide à observer votre réactivité et créer un espace intérieur pour la découvrir et entrer en amitié avec elle, au lieu de l'extérioriser par rapport aux autres.

Amener votre méditation au travail avec vous

Les délais très serrés, l'évaluation constante des performances et les menaces de faillite dans le monde très compétitif d'aujourd'hui font peser des pressions énormes sur les employés comme sur les dirigeants, y compris ceux qui sont assurés d'un emploi stable. Quelle que soit votre situation, vous pouvez réduire votre stress en suivant les conseils ci-dessous pour apprendre à méditer tout en travaillant :

✔ Avant de vous lever chaque matin, réitérez votre détermination à rester aussi calme et détendu que possible. Essayez de vous ménager une petite plage horaire pour méditer avant de franchir la porte. Vous donnerez le ton à votre journée.

✔ Si vous êtes attentif à votre expérience, vous découvrirez les véritables situations qui générent votre stress ; évitez-les ou modifiez-les autant que faire se peut. Le travail est parfois très exigeant ; n'en faites pas plus que ce que vous êtes capable de supporter.

✔ Observez comment votre esprit amplifie votre stress – par exemple en alimentant des propos tels « Je suis un raté » ou « Je n'ai pas tout ce qu'il faut » ou en imaginant que vous allez être mis en boîte ou que votre patron ou vos collègues complotent contre vous. Mettez doucement ces inventions de côté et reconcentrez-vous sur ce que vous étiez en train de faire.

✔ Au lieu de poireauter devant la machine à café pour ajouter la caféine à la liste déjà longue de vos sources de stress, utilisez vos temps de pause pour méditer en paix dans votre bureau. Vous vous sentirez après plus détendu et revigoré.

✔ Déjeunez avec des personnes que vous appréciez – ou bien seul dans le calme. Autre option : faites une petite balade ou tout autre exercice ; c'est le meilleur moyen d'évacuer le stress.

✔ Toutes les heures, suspendez votre activité et accordez-vous quelques instants pour respirer profondément, suivre votre souffle, vous lever et vous étirer ou faire quelques pas dans votre bureau.

Amener votre méditation au travail avec vous *(suite)*

✔ Pratiquez le demi-sourire pour diffuser du bien-être à vous-même et à vos collègues. Lorsque vous êtes en contact avec les autres, adoptez une attitude amicale et aimante. Un méditant me raconta un jour qu'il avait, à lui seul, retourné une atmosphère négative dans un bureau rien qu'en souriant délibérément et en générant de la bonne volonté.

La méditation dans les activités familiales

Tout ce que vous faites ou éprouvez est une occasion de pratiquer la pleine conscience. Commencez par une de vos activités routinières – celles que vous faites en pilotage automatique pendant que vous êtes ailleurs, en proie à vos rêves, vos chimères ou vos angoisses. Même les tâches les plus habituelles peuvent pourtant devenir agréables et animées lorsqu'elles sont menées avec une attention et une application totales. Voici une liste de ces activités ordinaires accompagnée de quelques suggestions pour les pratiquer en pleine conscience :

✔ **Laver la vaisselle** : si vous mettez de côté vos jugements (qui œuvrent pour vous pousser à faire quelque chose de plus sérieux ou de plus constructif de votre temps) et continuez à laver la vaisselle – le carrelage ou la salle de bain peu importe – peut-être vous apercevrez-vous que cette activité ne vous déplaît nullement. Remarquez les contours des assiettes et des bols en les nettoyant. Prenez conscience de l'odeur et de la nature glissante du liquide vaisselle, du bruit que font les ustensiles de cuisine en s'entrechoquant ; la satisfaction que procure le simple geste de débarrasser l'assiette de ses restes et de la laisser propre et de nouveau prête à l'emploi.

✔ **Travailler sur ordinateur** : plus vous êtes absorbé par les informations qui défilent sur votre écran, plus vous perdez le contact avec votre propre corps et votre environnement. Faites des pauses de temps en temps pour suivre votre souffle et contrôler votre position assise. Si vous commencez à vous raidir et à tendre le cou, étirez doucement votre colonne vertébrale (comme décrit dans le chapitre 5) et décontractez votre corps. Pendant les trous qui jalonnent votre journée de travail, revenez à votre respiration et à votre corps et détendez-vous.

✔ **Conduire** : qu'y a-t-il de plus stressant que de se frayer un passage dans une circulation dense ? Outre les arrêts répétés, vous devez avoir un œil sur tout, de tous les côtés, le danger pouvant venir de n'importe quelle direction. De plus, vous augmentez le stress de la conduite en voulant atteindre votre destination plus vite qu'il n'est matériellement possible, déclenchant colère et impatience.

La pleine conscience est un excellent antidote au stress au volant. Respirez plusieurs fois profondément avant de démarrer. Tout en relâchant en pleine conscience la tension et le stress, revenez inlassablement à votre respiration. Sentez le volant entre vos mains, la pression de vos pieds sur les pédales, le poids de votre corps contre le siège. Notez votre tendance à critiquer les autres conducteurs, à vous détacher, à vous mettre en colère ou à perdre patience. Observez les effets de la musique ou de la radio sur votre humeur pendant que vous conduisez. Lorsque vous vous réveillerez et regarderez autour de vous, vous serez sûrement surpris de voir que tout le monde (vous compris) est en train de piloter un engin d'acier et de plastique de plus d'une tonne dans lequel ont pris place des êtres humains précieux et vulnérables. Cette révélation vous poussera peut-être à conduire plus attentivement et plus prudemment.

✔ **Parler au téléphone** : pendant que vous téléphonez, ne perdez pas le contact avec votre respiration et observez vos réactions. Certains sujets provoquent-ils de la colère, de la peur ou de la tristesse ? D'autres vous procurent-ils de la joie ou du plaisir ? Êtes-vous sur la défensive ? Touché émotionnellement ? Notez également ce qui vous émeut ou vous motive à parler. Essayez-vous d'influencer ou convaincre la personne à l'autre bout du fil ? Possédez-vous un programme secret de jalousie ou de ressentiment – ou peut-être d'être aimé et apprécié ? Ou bien êtes-vous simplement ouvert et réceptif à ce qui se dit au moment présent, sans le vernis du passé ou du futur ?

✔ **Regarder la télévision** : comme l'écran de votre ordinateur, l'écran de télévision peut littéralement vous happer et vous faire oublier que vous êtes aussi constitué d'un corps. (Pour en savoir plus sur la méditation et la télévision, voyez le chapitre 6.) Faites une pause pendant les publicités pour baisser le son, suivre votre souffle et arrimer votre conscience dans le moment présent. Faites un petit tour, regardez par la fenêtre, parlez avec les membres de votre famille. (Comme beaucoup de personnes, vous avez peut-être recours à la nourriture pour vous recaler dans votre corps pendant que vous regardez la télé ; sachez toutefois que cela ne fonctionne que si vous êtes attentif à ce que vous mangez – sans compter que s'alimenter sans en être conscient se paye cher sur la balance : demandez à n'importe quel pantouflard !

✔ **Faire du sport** : l'exercice physique est une formidable occasion d'amener votre conscience aux mouvements simples et répétitifs de votre corps. Malheureusement, de plus en plus de sportifs mettent leur casque audio, allument le baladeur et se séparent d'eux-mêmes. La prochaine fois que vous touchez à votre équipement de sport ou allez à un cours d'aérobic, appliquez-vous à suivre au mieux votre souffle. (Il est toujours possible de revenir à sa respiration même lorsque l'entraînement est difficile.) Vous pouvez également porter votre attention sur vos mouvements – sur la flexion des muscles, le contact avec l'équipement (ou le sol), les sensations de chaleur, de plaisir ou d'effort. Observez ce qui vous tient écarté de vous. L'image de votre corps vous perturbe-t-elle ? Votre poids est-il une obsession ? Fantasmez-vous sur votre corps futur à tel point que vous êtes incapable d'être présent à ce que vous faites ? Bornez-vous à noter puis retournez à votre expérience. Peu à peu, vous apprendrez à tant apprécier votre corps que le regard des autres n'aura plus d'importance.

SAGESSE POPULAIRE

L'attention, encore l'attention, toujours l'attention

La tradition zen, parce qu'elle met l'accent sur le dur labeur et l'appréciation de ce qui est ordinaire, fourmille d'anecdotes louant les bénéfices de l'attention consciente dans toutes les activités quotidiennes. Voici deux de mes préférées.

La première est l'histoire d'un homme d'affaires venu voir un maître célèbre pour lui demander de lui dessiner les pictogrammes japonais définissant le plus précisément l'esprit zen. Le maître en dessine alors un seul : l'attention.

« Mais le zen ne se limite pas seulement à ça » proteste l'homme d'affaires.

« C'est vrai, vous avez raison » répond alors le maître et il dessine le même pictogramme sous le premier : l'attention, l'attention.

L'homme d'affaires s'énerve. « Vous me faites marcher ! » fulmine-t-il, le visage devenu soudain rouge.

En silence le maître ajoute un troisième pictogramme et le montre à son hôte sur-volté. Il est maintenant ins-crit sur le rouleau : l'atten-tion, l'attention, l'attention.

La seconde histoire est celle d'un moine itinérant qui se dirige vers un monas-tère très connu. Il commen-ce à gravir le chemin menant en haut de la mon-tagne lorsqu'il remarque une feuille de laitue déva-lant le ruisseau. « Hmm » commente-t-il l'air songeur

« un maître qui laisse ses élèves préparer les repas avec tant de négligence ne mérite ni mon temps ni mon attention. »

Au moment où il s'apprête à rebrousser chemin il aper-çoit le chef cuisinier en per-sonne, la robe flottant dans la brise, se hâtant de des-cendre la pente pour récu-pérer la feuille rebelle.

« Ah » se dit alors le moine en changeant une nouvelle fois de direction « après tout peut-être devrais-je m'arrêter ici pour étudier quelque temps. »

Méditer en famille : les parents, les enfants et les autres membres

Si vous êtes un méditant en herbe, concilier vie de famille et méditation n'est pas toujours forcément simple. Vous pouvez, certes, avoir envie d'inviter, d'encourager, voire de contraindre vos proches à méditer avec vous. Par ailleurs, ce sont les personnes les plus proches de vous qui peuvent perturber votre toute nouvelle et encore fragile tranquillité d'esprit comme personne d'autre au monde !

Seul votre époux ou épouse connaît par exemple les mots susceptibles de vous exaspérer ou de vous froisser. Seuls vos enfants ont cette extraordinaire faculté de mettre votre patience à rude épreuve ou de contester votre désir que les choses se fassent d'une certaine façon. (Si vous avez déjà essayé de vous décontracter et de suivre votre souffle pendant que votre petit dernier piquait une colère ou que votre grand tentait lamentablement de vous expliquer pourquoi il était rentré à 2 h du matin la veille, vous savez de quoi je parle.)

Il est possible de trouver un moyen d'incorporer une pratique méditative traditionnelle dans vos relations les plus intimes tant que les personnes impliquées sont réceptives à vos efforts. Qu'elles trouvent ou non un intérêt dans la méditation importe peu, vous pouvez toujours vous servir des liens qui vous unissent à elles comme d'une possibilité exceptionnelle d'être pleinement attentif à vos réactions et comportements habituels. À vrai dire, la vie de famille fournit une occasion unique d'ouvrir votre cœur.

Méditer avec les enfants

Si la méditation vous passionne, vous avez peut-être envie d'en faire profiter vos enfants (ou petits-enfants, filleuls, neveux et nièces.) L'envie peut aussi venir d'eux : vous voyant rester assis en silence quotidiennement pour méditer leur donnera peut-être le désir de faire comme vous. (Les jeunes enfants, plus particulièrement, imitent en général tout ce que font leurs parents.) Si vous ressentez de la curiosité chez vos enfants, n'hésitez surtout pas à leur donner des instructions brèves et invitez-les à méditer avec vous – sans vous attendre à ce qu'ils s'y tiennent. Les plus jeunes ont une capacité d'attention limitée et les plus âgés des centres d'intérêts qu'ils trouvent plus fascinants.

Comme vous l'avez sûrement remarqué, avant 6 ou 7 ans, les enfants passent la majeure partie de leur temps dans un état modifié d'émerveillement et de plaisir (lorsqu'ils ne sont pas, c'est entendu, en train de hurler). Au lieu de leur apprendre à méditer, essayez le plus possible d'aller dans leur monde. Montrez-leur les détails les plus infimes de la vie et encouragez-les à observer sans interpréter. Ramassez une feuille, par exemple, et examinez-la attentivement avec eux ; observez le balai des fourmis, les étoiles dans le ciel. Pour protéger leur capacité naturelle à méditer, limitez les heures de télé et de jeux vidéo qui étouffent la curiosité et le rêve et évitez de les pousser trop jeune à développer leur intellect.

Si vos enfants sont plus grands et montrent de l'intérêt pour la méditation, n'hésitez pas à leur enseigner des pratiques méditatives traditionnelles comme suivre son souffle ou réciter un mantra – mais toujours sous une forme facile et amusante. Laissez-leur la liberté de pratiquer ou non, selon leur envie. La méditation aura avant tout un grand impact sur vos enfants en vous rendant plus calme, plus heureux, plus aimant et moins réactif. En vous voyant changer en mieux, ils seront tout naturellement intéressés par votre pratique pour pouvoir en récolter les mêmes fruits.

Méditer avec votre partenaire et les autres membres de la famille

Comme la prière, la méditation peut rapprocher une famille. Lorsque vous êtes tous réunis en silence, même pour quelques minutes seulement, vous devenez naturellement sensible à un niveau d'existence plus profond où les différences et les conflits ont perdu de leur importance. C'est l'occasion aussi de pratiquer des techniques spécifiques au cours desquelles vous ouvrez par exemple votre cœur pour envoyer de l'amour aux uns et aux autres et en recevoir en retour (voir l'encadré « Communiquer plus profondément avec un conjoint ou un ami » un peu plus loin). Si votre famille est d'accord, introduisez des pratiques méditatives dans votre emploi du temps quotidien – en vous asseyant par exemple tous en silence quelques instants avant de manger ou pour réfléchir avant d'aller vous coucher sur les choses positives survenues au cours de la journée.

Étreindre de tout son cœur

Pour remplacer les pratiques méditatives traditionnelles avec vos enfants, serrez-les simplement dans vos bras : c'est l'occasion de suivre votre souffle et d'être présent. La prochaine fois que vous les prenez dans vos bras, observez votre façon de les tenir. Vous raidissez-vous ou gardez-les vous à distance ? Retenez-vous votre respiration ? Êtes-vous ailleurs ? Étouffez-vous votre amour parce que vous êtes irrité ou contrarié ? Accomplissez-vous ce geste le plus vite possible pour passer à quelques chose de plus « important » ? Ce que vous allez découvrir risque de vous surprendre. (Si au contraire, vous êtes heureux et satisfait de votre façon d'étreindre vos enfants, oubliez la deuxième partie de cet encadré.)

Au lieu de vous juger, peut-être voulez-vous apprendre à éteindre différemment. La prochaine fois que vous étreignez vos enfants (conjoint, famille ou amis), marquez une pause pendant que vous les tenez dans vos bras, décontractez-vous et respirez trois ou quatre fois consciemment. Si vous en sentez le désir, posez votre conscience sur votre cœur et envoyez-leur de l'amour intentionnellement. Serrez quelqu'un dans vos bras pourra alors devenir plus plaisant – et vos enfants se sentiront par la même occasion mieux aimés et nourris.

Les rites familiaux sont une formidable aubaine de pratiquer la pleine conscience ensemble et d'établir une relation plus profonde et plus chaleureuse. En invitant vos proches à préparer le repas ou à travailler au jardin en toute conscience, ils remarqueront mieux la qualité de votre attention et seront peut-être enclins à suivre votre exemple. Faites comme bon vous semble : en leur proposant de cuisiner, de manger ou de travailler différemment ou en faisant référence, si vous vous sentez plus à l'aise, à des expressions comme « l'amour » ou « prendre soin » au lieu de « pleine conscience ». Sachez toutefois que l'exemple que vous leur donnerez aura un impact plus important que toutes vos instructions. De temps à autres, pratiquez en famille la méditation en mangeant (voyez l'encadré « Savourer un repas en toute conscience, en début de chapitre ») – mais l'exercice doit conserver un caractère amusant, affectueux et décontracté.

Méditer pendant l'amour

« À quoi bon méditer en faisant l'amour ? ». « Nous passons avec mon partenaire un excellent moment – que pourrait-on y ajouter ? ». Voilà les interrogations que je rencontre lorsque j'aborde le sujet. Et à cela, j'ai une réponse très séduisante : vous pouvez améliorer considérablement vos rapports sexuels en y consacrant toute votre attention et tout votre cœur. Nombreux sont ceux qui font l'amour avec leur esprit – ils fantasment sur le sexe lorsqu'ils sont seuls et lorsqu'ils font l'amour avec leur partenaire. Pourtant, le véritable acte sexuel se déroule ici et maintenant, caresse après caresse, sensation après sensation. Lorsque vous prenez vos distances ou fantasmez, vous en ratez le meilleur – réduisant de fait votre plaisir et votre satisfaction.

Établir une relation plus profonde avec un partenaire ou un ami

Si votre partenaire sait déjà méditer, peut-être apprécierez-vous de programmer des plages horaires régulières pour méditer côte à côte. Si vous avez envie de pousser plus loin et parvenir à un niveau relationnel supérieur, essayez l'exercice suivant. (Il se pratique aussi avec un ami proche). Si votre partenaire ne médite pas mais désire apprendre, cet exercice constitue une excellente introduction :

1. **Asseyez-vous l'un en face de l'autre, genoux serrés. Allongez les mains devant vous et unissez-les à celles de votre partenaire – mains droites tournées vers le haut ; mains gauches tournées vers le bas.**

2. **Fermez les yeux, respirez profondément plusieurs fois et détendez-vous le plus possible sur l'expiration.**

3. **Ajustez votre souffle sur celui de votre partenaire pour arriver progressivement à synchroniser vos inspirations et expirations.**

En d'autres termes, inspirez et expirez ensemble. Prenez la peine d'apprécier l'harmonie et la relation plus profonde suscitées par ce rythme partagé.

4. **Au bout de plusieurs minutes, commencez à alterner les inspirations et les expirations.**

Expirez de l'amour, de la lumière ou de l'énergie curative ; inspirez l'amour et l'énergie que votre partenaire vous a envoyés et placez-les sur votre cœur.

Poursuivez pendant aussi longtemps que vous le désirez. Pour intensifier la relation, regardez-vous dans les yeux, attentivement et tendrement, et laissez l'amour circuler

---

**Établir une relation plus profonde avec un partenaire
ou un ami** *(suite)*

librement entre vos regards.

5. Lorsque vous vous sentez plein, imaginez que l'amour que vous avez généré entre vous deux s'élargit pour englober tous ceux que vous aimez – pour finalement inclure et animer tous les êtres en tous lieux.

6. Terminez la méditation en vous prosternant l'un devant l'autre ou en vous étreignant.

Vous pouvez poursuivre par un massage mutuel ou, si vous formez un couple, par une douche ou un bain chauds pris ensemble ou par faire l'amour comme expliqué plus haut.

Les personnes introduisant la méditation dans leurs rapports sexuels disent jouir d'une meilleure réceptivité, d'une satisfaction plus intense, et d'orgasmes au niveau de tout le corps. Les hommes en particulier, affirment être capables de tenir plus longtemps ; les femmes assurent atteindre l'orgasme plus fréquemment. Encore plus important, une conscience de tout son cœur et de toute son attention permet d'insuffler plus d'amour dans l'acte sexuel et par conséquent de parvenir à un niveau de relation plus profond avec son partenaire, ce qui peut véritablement transformer l'acte sexuel en une expérience spirituelle.

Voici quelques conseils pour introduire la méditation dans l'acte d'amour. Faites-les partager à votre partenaire s'il est intéressé – mais sachez que le simple fait de les appliquer vous-même permet d'améliorer la qualité de votre relation sexuelle et inciter votre partenaire à suivre votre exemple.

> ✔ **Établir une relation d'amour entre vous**. Avant de faire l'amour, consacrez quelques minutes (ou plus) à établir une relation aimante et affectueuse. Vous pouvez vous regarder tendrement dans les yeux, faire passer des messages nourrissants ou murmurer des mots d'amour (ou faire l'exercice présenté dans l'encadré ci-contre) – enfin tout ce qui vous aide à baisser la garde et ouvrir votre cœur.

✔ **Voir le Divin dans votre partenaire**. Dans les pratiques méditatives sexuelles traditionnelles d'Inde et du Tibet, les partenaires se visualisent en tant que dieu ou déesse, l'incarnation du divin masculin ou féminin. Si vous n'êtes pas prêt à aller si loin, vous pouvez quand même, en faisant l'amour, vous attacher aux sentiments de profond respect et de dévotion que vous éprouvez pour votre partenaire.

✔ **Soyez présent – et revenez lorsque vous vous éloignez**. Lorsque vous avez établi la relation entre vos organes génitaux et votre cœur, vous pouvez commencer à vous caresser avec tendresse, le plus attentivement possible. Lorsque vous fantasmez ou vous écartez, revenez en douceur au moment présent. Si des sentiments non résolus comme le ressentiment ou la blessure vous empêchent de vous investir totalement, ne faites pas semblant – arrêtez-vous et discutez tranquillement du problème avec votre partenaire jusqu'à ce que la communication soit rétablie.

✔ **Ralentissez et accordez-vous**.
Observez toute tendance à vous
mettre sur le pilote automatique,
notamment lorsque la passion se
construit. Ralentissez plutôt le pas et
mettez-vous au diapason de toute
votre gamme de sensations, au lieu de
vous concentrer uniquement sur vos
organes génitaux. Le plaisir n'en sera
que plus intense et vous découvrirez
que vous contrôlez davantage votre
énergie. Assurez-vous d'être également
synchronisé sur votre partenaire – et
n'hésitez pas à lui demander comment
il (ou elle) préférerait être caressé.

✔ **N'oubliez pas votre souffle**. Arrivé au
cœur de la passion, nombreux sont
ceux qui retiennent leur respiration.
Malheureusement, cette réaction peut
annihiler votre plaisir et accélérer l'orgasme (pour les hommes) ou l'empêcher (si vous êtes une femme). Une
respiration attentive et consciente
peut vous maintenir dans le moment
présent, vous détendre et approfondir
considérablement votre plaisir.

✔ **Lorsque l'énergie arrive à son point culminant, arrêtez-vous quelques instants, respirez ensemble et détendez-vous**. Cette étape peut vous sembler paradoxale (beaucoup ayant tendance au contraire à aller plus vite lorsqu'ils sont excités), mais elle représente véritablement l'entrée secrète dans le monde de l'épanouissement sexuel. En abandonnant votre tendance active et intentionnée, en vous décontractant et en respirant ensemble, vous approfondissez votre relation amoureuse et vous vous ouvrez à une fréquence supérieure de plaisir, semblable à ce que les mystiques appellent l'extase. Lorsque vous sentez votre passion diminuer, vous pouvez retourner à votre activité amoureuse – sans hésiter à vous arrêter et respirer au moment où votre énergie arrive à son point culminant pour retourner ensuite encore une fois à l'acte lui-même.

EXERCICE

Pratiquer le demi-sourire

Si vous observez attentivement les statues classiques du Bouddha ou les visages des madones de la Renaissance, vous remarquerez le demi-sourire, symbole de joie et de tranquillité. Selon le professeur bouddhiste vietnamien Thich Nhât Hanh, il est possible de retrouver sa bonne heure et son bonheur naturel simplement en souriant consciemment, même lorsque le moral n'est pas au rendez-vous. « Un minuscule bourgeon de sourire sur les lèvres nourrit la conscience et nous apaise comme par miracle » peut-on lire dans *Peace is Every Step*. « Cela nous ramène à la paix que nous pensions avoir perdu. »

La recherche scientifique actuelle reconnaît que le sourire relaxe les muscles de l'ensemble du corps et procure sur le système nerveux les mêmes effets que le véritable plaisir.

Voici quelques brèves indications pour pratiquer le demi-sourire conseillé par Thich Nhât Hanh :

1. Consacrez quelques instants pour former un demi-sourire avec vos lèvres.

Observez la réaction des autres parties de votre corps. Votre ventre se détend-il ? Votre dos se redresse-t-il naturellement un petit peu ? Voyez-vous une subtile évolution de votre

Pratiquer le demi-sourire *(suite)*

humeur ? Notez également toute résistance lorsque « vous n'avez pas franchement le cœur à ça. »

2. Gardez ce demi-sourire pendant au moins 10 minutes.

Remarquez-vous un changement dans vos agissements ou vos réactions par rapport aux autres ? Répond-on à votre sourire par un sourire ?

3. La prochaine fois que vous n'avez pas le moral, essayez le demi-sourire pendant une demi-heure et notez ensuite comment vous vous sentez.

Quatrième partie
Les 10 commandements

« Je sais que ce n'est pas aussi exaltant que le saut
à l'élastique, mais c'est peut-être le bon moment pour
choisir la méditation comme passe-temps. »

Dans cette partie...

Cet espace est consacré aux réponses rapides et aux courtes méditations. La prochaine fois que vous séchez lorsque votre tante Catherine ou votre cousin David vous posent une question sur la méditation, la prochaine fois que vous avez vous-même des questions, la prochaine fois que vous êtes d'humeur à méditer mais ne voulez pas feuilleter le livre entier, examinez les perles qui se trouvent ici.

Chapitre 8

Réponses aux 10 questions les plus souvent posées sur la méditation

• •

*L*a plupart de ceux qui envisagent de s'adonner à la méditation ont quelques questions pour lesquelles il leur faut impérativement une réponse – dès qu'ils commenceront, d'autres arriveront. Vous trouverez donc dans ce chapitre des réponses courtes à 10 des questions les plus posées. Pour approfondir, voyez les explications fournies tout au long de ce livre.

La méditation ne risque-t-elle pas de me rendre trop détendu et trop distant pour réussir à l'école ou dans mon travail ?

Pour beaucoup, la méditation est encore associée à un autre choix de vie impossible, d'où leur crainte de se voir transformé en hippie ou en yôgi nombriliste dès l'instant où ils s'aventureront à s'asseoir en silence pendant une poignée de minutes. La méditation enseigne en réalité comment focaliser son esprit et réduire les distractions afin d'être plus efficace dans ses activités et son travail. Sans compter que tout le monde sait combien il est difficile d'effectuer quoi que ce soit de très bien lorsque l'on est trop tendu. Là encore, la méditation aide à se détendre et à réduire l'anxiété pour mieux utiliser (et apprécier) son temps.

Comme je l'ai expliqué plus en détail dans le chapitre 1, la majorité des pratiques méditatives reposent sur l'association concentration/conscience réceptive. La concentration est indispensable pour fixer l'attention sur un objet donné, comme le souffle ou une sensation corporelle. Il vous est possible par la suite d'étendre cette faculté à votre travail, ou toute autre activité. Les psychologues appellent cette absorption totale inhérente à une concentration intense le « *flux* ». Il s'agit d'un état d'esprit où le temps se ralentit, les distractions s'estompent et l'activité se fait sans peine et avec un plaisir extrême.

La conscience réceptive permet d'élargir votre attention pour y englober toute la gamme de vos expériences, tant intérieures qu'extérieures. Les deux réunies – concentration et conscience réceptive – se combinent pour créer cette vigilance décontractée que l'on peut observer chez les grands artistes, les athlètes et adeptes des arts martiaux. On ne peut tout de même pas les accuser de planer ou d'être inefficaces, non ?

Comment trouver le temps de méditer dans un emploi du temps déjà surchargé ?

Le voilà l'éternel problème : le temps ! L'avantage incontestable de la méditation est de ne pas demander tant de temps que cela. Une fois les bases acquises (après avoir lu ce livre bien sûr) vous pou-

vez commencer par y consacrer entre 5 et
10 minutes quotidiennement. La meilleure période
est généralement le matin, tout du moins au début.
Peut-être pouvez-vous vous ménager un court
instant de tranquillité entre le brossage des dents
et la douche. Où, si vous êtes matinal, apprécier les
précieux moments de calme avant le réveil de toute
la famille.

Quelle que soit la tranche horaire qui vous convient
le mieux, l'important est de pratiquer régulièrement
– si possible tous les jours, en sautant un jour de
temps en temps (et en vous octroyant parfois une
grasse matinée le dimanche). L'objectif ici n'est pas
de faire de vous un automate mais de vous donner
toutes les chances de pouvoir profiter des très
nombreux bénéfices de la méditation. Comme pour
l'haltérophilie ou la pratique d'un instrument de
musique, vous ne ressentirez les effets de la méditation que si vous êtes régulier.

En méditant assidûment pendant des jours et des
semaines, vous commencerez peut-être à remarquer de petits changements dans votre vie – des
moments de tranquillité, de paix ou d'harmonie que
vous n'avez plus ressentis depuis votre enfance, si
tant est que vous ayez connu des moments similaires ! Plus vous en percevrez les bénéfices, plus

vous serez motivé pour trouver le temps de pratiquer – voire d'élargir votre créneau horaire jusqu'à 15 ou 20 minutes.

Ne pouvant pas m'asseoir parterre ou croiser les jambes, puis-je méditer sur une chaise ou allongé ?

Oui, tout à fait. En fait, les postures méditatives traditionnelles sont nombreuses. Outre celle assise, vous pouvez aussi adopter la posture debout, allongée, en marchant ou effectuer des mouvements particuliers (que l'on retrouve par exemple dans le Tai chi et la danse soufie). En réalité, toute position que vous pouvez maintenir sans peine convient à la pratique de la méditation. (Pour trouver une posture adéquate, voyez le chapitre 5). Méditer en position couchée présente évidemment un inconvénient : le risque de vous endormir. Il vous faudra peut-être faire un petit effort (sans que cela vous rendre nerveux, il va de soi) pour rester éveillé et concentré. Il est également préférable de vous allonger sur un tapis ou la moquette plutôt que sur votre lit – pour les raisons évidentes dont je viens de parler !

Plus important que le choix de la posture est la question du dos. Qu'en faire ? si vous êtes affalé vers l'avant ou penché sur le côté, votre corps doit résister à la gravité et vous risquez avec le temps d'avoir mal et de ne pas être capable de conserver cette position au fil des semaines et des mois. Prenez au contraire l'habitude d'étirer votre colonne vertébrale (comme il est expliqué au chapitre 5), excellente position que vous pourrez adopter dans toutes vos activités.

Que faire contre l'agitation et la gêne que je ressens lorsque j'essaye de méditer ?

Pour commencer, savoir que vous n'êtes pas le seul pourra peut-être vous rassurer. Tout le monde, de temps en temps – voire souvent – est confronté à ces petits problèmes. Sachez que la méditation agit comme un miroir qui vous renvoie votre propre image de vous. Croyez-le ou pas, c'est l'une de ses vertus. Lorsque vous interrompez votre vie active pendant quelques minutes pour vous asseoir en silence, vous pouvez vous rendre compte soudain de toute l'énergie nerveuse et des pensées frénétiques qui vous maintiennent en état de stress depuis tant de temps. Bienvenue dans le monde de la méditation !

Dans un premier temps, la méditation implique de focaliser son attention sur un objet donné – comme le souffle ou un *mantra* (mot ou expression) – et de la ramener en douceur, comme un chiot espiègle dès qu'elle s'égare. (Voyez le chapitre 4 pour les instructions de base.) Progressivement, vous remarquerez que votre gêne et votre agitation s'apaisent d'elles-mêmes.

Lorsque vous avez atteint un niveau de concentration plus profond, commencez à élargir votre conscience pour y incorporer tout d'abord vos sensations puis vos pensées et émotions. À ce stade, vous pouvez explorer, entrer en amitié et enfin accepter cette agitation et cette gêne. Même si ce processus n'est pas des plus faciles, il a des implications très vastes car il vous enseigne la résistance et la tranquillité d'esprit nécessaires pour accepter les inévitables difficultés dans tous les domaines de la vie.

Que dois-je faire si je peux pas m'empêcher de m'endormir lorsque je médite ?

Comme l'agitation, l'envie de dormir est l'un des obstacles les plus courants sur le chemin de la méditation. Même les plus grands méditants du passé ont fait état de leur lutte contre la somnolence – certains ayant même pris des mesures extrêmes pour rester éveillé, comme notamment s'attacher les cheveux au plafond ou méditer en bordure de falaise ! Si ça ce n'est pas de la détermination !

Pour les autres, c'est-à-dire vous et moi, il existe des solutions moins radicales pour ne pas s'assoupir et garder l'œil vif. Vous pouvez avant toute chose désirer explorer un peu cette envie de dormir. Dans quelle partie du corps se manifeste-t-elle ? S'agit-il simplement d'une pesanteur mentale ou bien êtes-vous également physiquement fatigué ? Peut-être vaudrait-il mieux que vous fassiez un petit somme au lieu de méditer !

Si vous décidez de poursuivre votre méditation, essayez d'ouvrir grand les yeux et de vous asseoir aussi droit que possible pour vous donner un peu de tonus. Si vous avez toujours envie de dormir, levez-vous et promenez-vous ou aspergez-vous le visage d'eau. De toute façon, la somnolence ne doit pas nécessairement vous empêcher de méditer – après tout, une méditation assoupie n'est qu'un moindre mal !

Comment savoir si je médite correctement ? Comment savoir si ma méditation fonctionne ?

Ces deux questions (en réalité les deux versants de la même question) reflètent le perfectionniste présent en chacun de nous qui surveille nos activités pour s'assurer que nous les accomplissons correctement. Ce qu'il y a de formidable avec la méditation est qu'il est impossible de se tromper, à moins de ne rien faire. (C'est en fait ce perfectionniste qui est en cause dans la majeure partie de notre stress et l'objectif de la méditation est de diminuer ce stress, pas de l'intensifier.)

Pendant que vous méditez, mettez (dans la mesure du possible) de côté le perfectionniste et revenez en douceur à votre point de focalisation ici et maintenant. (Pour des instructions détaillées sur la méditation, voyez les autres chapitres de ce livre et notamment le chapitre 4.)

Les expériences que vous pourrez rencontrer au cours de vos méditations – envie de dormir, pensées surchargées, gêne physique, agitation, émotion profonde – ne signifient pas que vous êtes dans l'erreur. Au contraire, elles constituent la matière première de vos méditations, les vieux schémas et habitudes qui se transforment progressivement au fur et à mesure que votre méditation s'approfondit.

Pour ce qui est de savoir si votre méditation « marche » ou non, ne vous attendez pas à voir apparaître des lumières clignotantes ou être pris de soudaines secousses d'énergie. Les changements seront plus imperceptibles et vos proches ou vos amis remarqueront peut-être que vous êtes moins irritable ou stressé qu'avant, vous-même vous sentirez plus heureux ou plus paisible à certains moments, sans aucune raison valable. Je le répète encore une fois : ne courez pas après les résultats, car quand on est impatient, chaque seconde semble durer une éternité. Faites confiance à votre pratique et laissez les changements s'opérer par eux-mêmes.

Puis-je méditer en conduisant ou en travaillant sur mon ordinateur ?

Si pratiquer une méditation traditionnelle est impossible lorsque l'on fait quelque chose d'autre, il reste possible de faire ces choses méditativement. Au cours de vos séances de méditation silencieuse, vous apprenez à rester aussi présent que possible au milieu du déferlement de pensées, d'émotions et de sensations perturbatrices. Lorsque vous vous installez derrière votre volant ou devant votre ordinateur, rien ne vous empêche d'appliquer au moins une partie de la présence consciente et attentive que vous avez acquise pour mieux négocier la circulation dense des heures de pointe ou la préparation d'un rapport. Vous verrez que vous accomplirez l'activité demandée avec moins de peine et de tension et que vous en tirerez davantage de plaisir.

C'est un peu comme faire du sport – du tennis par exemple. Vous devez dans un premier temps travailler sans relâche votre revers. Ensuite, lorsque vous faites un match, vous savez exactement comment faire, même si la situation est devenue beaucoup plus complexe et difficile.

Faut-il que je renonce à mes convictions religieuses pour méditer ?

Certainement pas. En réalité, comme l'ont découvert certains contemplatifs chrétiens et juifs, vous pouvez appliquer les principes et les techniques de base de la méditation à toute tradition ou tendance spirituelle et religieuse. La méditation consiste simplement à faire une pause dans votre vie surchargée, à respirer profondément, à vous asseoir en silence et à tourner votre attention vers l'intérieur. Ce que vous découvrez n'est pas le zen, le soufisme ou la méditation transcendantale mais vous – en entier, avec vos croyances, vos attaches et vos traits de caractère !

Comme William Johnston dans son livre *Zen et connaissance de Dieu* (voir annexe), nombreux sont ceux qui sont convaincus que les méthodes méditatives et leurs racines orientales approfondissent en réalité la relation qu'ils entretiennent avec leur foi occidentale en complétant la prière et la croyance par une expérience directe de l'amour et de la présence de Dieu.

Que dois-je faire si mon partenaire ou d'autres membres de ma famille n'encouragent pas ma pratique ?

J'avoue ne pas avoir de réponse facile à cette question, d'autant plus si vos proches y sont ouvertement hostiles. S'ils ne font que de la résistance ou ont tendance à vous interrompre aux moments inopportuns ou réclamer votre attention lorsque vous commencez à vous apaiser, il serait peut-être judicieux de leur parler et de leur expliquer votre intérêt pour la méditation. Rassurez-les en leur faisant comprendre que passer 5 à 10 minutes par jour à méditer ne signifie pas que vous les aimiez moins. Montrez-leur ce livre – ou prêtez-le leur pour qu'ils puissent le lire eux-mêmes.

Après quelques temps de pratique, ils s'apercevront peut-être que vous êtes plus heureux d'être là – plus détendu, plus attentif, moins distrait et moins stressé – et leur résistance s'évanouira peu à peu. Qui sait ? Peut-être un jour décideront-il même de se joindre à vous et d'essayer la méditation !

La méditation peut-elle améliorer ma santé ?

Assurément oui. Des centaines d'études ont enquêté sur les bienfaits de la méditation pour la santé et sont arrivées à la conclusion que ceux pratiquant régulièrement la méditation étaient en meilleure santé que les autres. Les méditants présentaient notamment une tension et un rythme cardiaque plus faibles, un taux de cholestérol moins élevé ; des ondes cérébrales plus lentes (en corrélation avec une relaxation plus importante) ; une respiration plus profonde et moins rapide ; un rétablissement plus rapide après un épisode de stress, et des douleurs moins fortes. (Pour en savoir plus sur les bénéfices de la méditation pour la santé, voyez le chapitre 2.)

En harmonisant le corps et l'esprit, en procurant paix, bien-être et décontraction, la pratique régulière de la méditation facilite la libération des substances chimiques vitales du corps dans le sang et renforce la réponse immunitaire. Certaines techniques mises au point au fil des siècles par les grands méditants du passé (et adaptés à la vie occidentale contemporaine) sont spécifiquement destinées à stimuler le rétablissement.

Chapitre 9

Mes 10 méditations multi-usages préférées (plus deux)

· ·

*V*oici 12 de mes méditations préférées, tirées des pages de ce livre. Je ne les ai pas uniquement choisies parce qu'elles me plaisaient mais aussi parce qu'elles vous offraient une gamme très vaste de pratiques à essayer, depuis les visualisations élaborées aux techniques de base de la pleine conscience. (Pour en savoir plus sur la pleine conscience, reportez-vous au chapitre 4.) Si vous en avez envie, n'hésitez pas à les essayer directement. Pratiquées régulièrement, elles vous offriront un avant-goût de l'expérience méditative. Si vous n'êtes pas rassasié et en voulez plus, il ne vous reste plus qu'à feuilleter le reste du livre.

Pratiquer la relaxation

Pour réduire le stress et récolter les autres bénéfices de la relaxation, essayez cet exercice simple pendant 15 à 20 minutes quotidiennes. Appelé « *réponse relaxante* », il fut mis au point dans les années 1970 par le Dr Herbert Benson, professeur de l'Université de médecine de Harvard. Il repose sur ses recherches sur les bienfaits de la Méditation transcendantale.

1. **Trouvez un endroit où vous pouvez vous asseoir en silence et où vous ne serez pas dérangé.**

   Pour plus de détails sur la création d'un environnement propice à la méditation, voyez le chapitre 6.

2. **Asseyez-vous dans une position que vous êtes capable de conserver pendant toute la durée de votre méditation.**

   Pour tout savoir sur les postures assises (avec schémas), voyez le chapitre 5.

3. **Choisissez un objet sur lequel vous allez vous concentrer.**

   Cet « objet » peut être un symbole visuel (une forme géométrique par exemple) ou un *mantra* (c'est-à-dire une syllabe, un mot ou une expression que vous répétez inlassablement). Pour en savoir plus sur les mantras, reportez-vous au chapitre 3). Les objets qui ont pour vous un sens personnel ou spirituel profonds sont particulièrement efficaces. Gardez autant que possible l'esprit focalisé sur cet objet. Lorsque vous êtes distrait, revenez à votre objet. (Si votre objet est intérieur, fermez les yeux.)

4. Conservez une attitude réceptive.

Laissez les images, les pensées et les sentiments traverser votre esprit sans essayer ni de les retenir ni de les interpréter. Ne succombez pas à la tentation d'évaluer vos progrès ; contentez-vous de ramener votre attention lorsqu'elle s'égare.

Après un certain temps de pratique régulière, vous pourrez constater que votre corps se décontracte davantage et que votre esprit s'apaise – deux des nombreux bénéfices de la méditation.

Suivre son souffle

Empruntée à la tradition bouddhiste de la pleine
conscience, cette pratique fondamentale développe
la concentration et vous apprend, par l'intermédiaire
de votre souffle, à vivre chaque instant dans le
moment présent, quoi que vous fassiez, où que vous
soyez. Pour des instructions plus complètes (et
davantage d'informations sur la pleine conscience),
reportez-vous au chapitre 6.

1. **Commencez par trouver une posture assise
   confortable que vous serez capable de
   conserver pendant 10 à 15 minutes.**

   Respirez plusieurs fois profondément en
   expirant lentement. Sans essayer de contrôler
   votre respiration, laissez-la trouver sa
   profondeur et son rythme naturels. À moins
   d'une incapacité pour divers motifs, respirez
   toujours par le nez.

2. **Laissez votre attention se poser soit sur la
   sensation de votre souffle entrant ou sortant
   des narines soit sur le soulèvement et l'affais-
   sement de votre ventre.**

   Si rien ne vous empêche dans l'absolu d'alterner l'objet de focalisation à chaque séance, il

est préférable de n'utiliser qu'un seul point d'attention durant une même méditation – et il est aussi conseillé de l'adopter pour toutes vos pratiques.

3. Portez toute votre attention sur vos inspirations et vos expirations.

Effectuez cet exercice avec la même attention que celle d'une mère veillant sur les mouvements de son jeune enfant – avec amour mais sans relâche, en douceur mais avec précision, en y prêtant une attention détendue mais concentrée.

4. Lorsque vous vous rendez compte que vous esprit s'est égaré et que vous êtes plongé dans vos pensées, vos rêveries ou la planification de votre journée, ramenez-le en douceur mais fermement à votre souffle.

Les images et les pensées continueront certainement à trottiner et tourbillonner dans votre esprit pendant que vous méditez. Ne vous inquiétez pas, contentez-vous de revenir avec patience et fermeté à votre souffle. S'il vous est totalement impossible de suivre votre respiration, essayez de débuter en les comptant (voir chapitre 6).

5. **Continuez cet exercice simple (mais pas facile !) pendant toute la durée de votre méditation.**

Avec de la pratique, votre esprit se calmera plus rapidement – et vous serez également plus présent et plus attentif dans les autres domaines de votre vie.

La méditation en marchant

Si vous n'avez pas très envie de vous asseoir, essayez la méditation en marchant. Il s'agit d'une très ancienne technique pratiquée dans les monastères et les centres de méditation du monde entier. C'est un moyen extraordinaire d'élargir la pleine conscience développée sur le coussin ou la chaise au monde en mouvement dans lequel nous vivons. Si le temps le permet, marchez dehors ; sinon, faites des va-et-vient chez vous.

1. **Commencez par marcher à allure normale, en suivant vos inspirations et vos expirations.**

2. **Réglez votre respiration sur vos pas.**

Vous pouvez par exemple faire trois pas à chaque inspiration puis trois autres pendant

l'expiration ce qui, comme vous le constaterez
en essayant, est nettement plus lent que l'allure
normale. Si vous voulez augmenter ou diminuer
votre vitesse, changez simplement le nombre de
pas à chaque respiration. Gardez la même allure
à chacune de vos marches. (Si vos inspirations
et vos expirations sont de longueurs différentes,
adaptez vos pas en conséquence.)

**3. En plus de votre respiration, soyez attentif
aux mouvements de vos pieds et de vos
jambes.**

Notez le contact de vos pieds avec le sol.
Regardez devant vous, à un angle d'environ
45°. S'il vous est trop difficile de suivre votre
souffle et d'être en même temps attentif à vos
pieds, choisissez l'un des deux et tenez-vous
en. Détendez-vous, marchez avec aisance et
facilité.

**4. Poursuivez votre marche attentive et régulière
aussi longtemps que vous le désirez.**

Si votre attention dérive, ramenez-la à votre
marche.

Manger en toute conscience

Vous est-il déjà arrivé de terminer un repas en vous
demandant qui avait bien pu finir votre assiette ?
Voici une méditation qui va vous permettre d'être
attentif à ce que vous mettez dans votre bouche.
Vous allez savourer ce que vous mangez comme
vous ne l'avez encore jamais fait et – en prime –
faciliter votre digestion en réduisant le stress ou la
tension que vous apportez vous-même à table.
(Vous n'aurez probablement pas envie de manger
tout le temps avec une telle attention, mais une
petite dose de pleine conscience à chaque repas
sera néanmoins bénéfique.)

1. **Avant de commencer à manger, prenez le
   temps d'apprécier votre nourriture.**

   Vous avez peut-être envie, comme dans la
   tradition zen, de songer à la Terre, aux rayons
   du soleil qui ont donné la vie à cette
   nourriture, à l'effort de tous ceux qui ont
   contribué à l'apporter sur votre table. Vous
   pouvez aussi exprimer vos remerciements à
   Dieu ou à l'esprit – ou tout simplement
   vous asseoir en silence et éprouver de la
   gratitude pour ce que vous avez. Si vous mangez avec d'autres personnes, tenez-vous par

exemple par la main, souriez-vous ou établissez une autre forme de contact.

2. **Portez votre attention sur votre main au moment où vous amenez le premier morceau de nourriture à la bouche.**

   Vous pouvez, comme il est d'usage dans certaines traditions monastiques, manger plus lentement que la normale. Si cela ne vous convient pas, mangez à votre rythme habituel en étant aussi attentif que possible.

3. **Soyez pleinement conscient au moment où la première bouchée pénètre à l'intérieur de votre bouche et inonde vos papilles de sensations.**

   Remarquez la tendance de l'esprit à juger la saveur : « c'est trop épicé ou trop salé » ou encore « ça ne ressemble pas à ce que j'attendais. » Notez toutes les émotions que cette bouchée peut susciter : déception, soulagement, irritation, joie. Observez d'éventuelles répercussions de plaisir ou de chaleur ou toute autre sensation physique. Bon appétit !

4. **Si vous parlez en mangeant, regardez les conséquences de la conversation sur votre état.**

Certains sujets vous stressent-ils ou rendent-ils votre digestion plus difficile ? La conversation vous empêche-t-elle d'apprécier ce que vous mangez ou bien parvenez-vous à conjuguer les deux ?

5. **Restez attentif à chaque bouchée pendant l'intégralité du repas.**

C'est probablement la partie de l'exercice la plus difficile car nous avons tendance à nous éloigner dès que nous avons identifié la saveur de notre repas. Pourtant, vous pouvez apprécier son goût nouveau à chaque bouchée. (En cas de distraction, arrêtez-vous et respirez quelques instants avant de reprendre le cours de votre repas.)

À la découverte de la beauté

Même dans les situations les plus chaotiques et les moins attrayantes, vous pouvez être sensible à une qualité ou une dimension de la beauté, si vous voulez bien vous en donnez la peine. C'est comme ces casse-tête en trois dimensions. Au départ, vous n'arrivez même pas à distinguer la forme à l'arrière-plan puis, lorsque vous l'avez perçue, vous n'avez

presque même plus besoin de faire attention pour
la redécouvrir. La prochaine fois que vous vous
trouvez dans une situation ou un lieu peu engageants – pas trop chargé émotionnellement de préférence pour ne pas rendre l'exercice trop difficile –
faites comme suit :

1. **Consacrez un moment à trouver quelque
   chose de beau.**

   Il peut s'agir d'une pelouse au loin d'un beau
   vert, d'un bouquet de fleurs sur une table, du rire
   d'un enfant, d'un joli meuble voire, d'une sensation de chaleur dans votre ventre ou votre cœur.

2. **Respirez profondément, écartez toute sensation de gêne ou de stress et prenez plaisir à
   regarder la beauté.**

   Laissez cette beauté résonner pendant
   quelques instants comme si c'était un morceau
   de musique ou une marche dans la forêt.

3. **Recentrer votre attention sur votre situation
   présente et notez dans quelle mesure votre
   attitude a changé.**

   Vous savez à présent qu'il vous est possible de
   déplacer votre conscience pour voir la beauté
   à chaque fois que vous en avez envie.

Cultiver la bonté

Voici une méditation destinée à ouvrir votre cœur
et initier un flot d'amour inconditionnel (ou *bonté*)
pour vous et les autres. Vous pouvez commencer
par 5 à 10 minutes de méditation de base en suivant
votre souffle par exemple ou relaxant votre corps
afin d'approfondir et de stabiliser votre concentration.

1. **Commencez par fermer les yeux et respirer
   profondément à plusieurs reprises en décontractant un peu votre corps à chaque expiration.**

2. **Rappelez-vous d'une fois où vous vous êtes
   senti profondément aimé.**

   Restez plusieurs minutes habité de ce sentiment et laissez votre cœur y répondre.
   Observez la gratitude et l'amour monter pour
   cette personne.

3. **Laissez ces sentiments affectueux déborder
   et progressivement inonder tout votre être.**

   Laissez-vous vous remplir d'amour. Vous avez
   peut-être envie d'exprimer les souhaits et
   intentions qui servent de fondements à cet
   amour. Comme les Bouddhistes le font,

pourquoi ne pas vous dire « Pourvu que je sois heureux, serein et que je ne souffre pas ». N'hésitez pas à utiliser vos mots à vous. En tant que bénéficiaire, donnez de l'amour sans oublier d'en recevoir aussi.

4. Lorsque vous avez fait le plein d'amour pour vous-même, imaginez que vous étendiez cet amour à un être cher en utilisant des mots identiques pour exprimer vos intentions.

Ne vous pressez pas ; laissez-vous autant que possible le temps de sentir cet amour au lieu de l'imaginer.

5. Dirigez cette bonté vers tous ceux que vous aimez.

Là encore, prenez votre temps.

6. Dirigez enfin ce sentiment à toutes les personnes et tous les êtres de la Terre.

Que tous les êtres soient heureux. Que tous les êtres soient en paix. Que tous les êtres soient libérés de la souffrance.

Assouplir votre ventre

Selon Stephen Levine, professeur de méditation américain, auteur de nombreux ouvrages sur la guérison et la mort, l'état du ventre refléterait l'état du cœur. En assouplissant consciemment votre ventre, vous arrivez à lâcher prise et à vous ouvrir aux sentiments tendres de votre cœur. (La méditation suivante est adaptée de son livre *Guided Meditations, Explorations and Healings*.)

1. **Commencez par vous asseoir confortablement et respirer plusieurs fois profondément.**

2. **Laissez votre conscience s'installer progressivement dans votre corps.**

3. **Laissez votre conscience descendre jusqu'à votre ventre pendant que vous assouplissez cette région en douceur.**

   Lâchez consciemment toute tension ou attachement.

4. **Laissez votre respiration entrer et sortir du ventre.**

   Pendant l'inspiration, votre ventre se soulève ; pendant l'expiration, il retombe.

5. Continuez d'assouplir votre ventre à chaque respiration.

Laissez partir tout sentiment de colère, de peur, de douleur ou de chagrin non résolu que vous pouviez retenir.

6. Observez les réactions de votre cœur pendant que vous poursuivez l'exercice.

7. Après 5 minutes de méditation au moins, ouvrez les yeux et reprenez vos activités normales.

De temps en temps, vérifiez votre ventre. Si vous notez un regain de tension, respirez doucement et assouplissez-le.

Guérir avec la lumière

Selon de nombreuses traditions méditatives, la maladie physique et la souffrance émotionnelle ne sont que différentes facettes d'un même problème fondamental - différentes façons de vous éloigner de votre intégralité et de votre santé. Voici un exercice destiné à diriger la lumière aux endroits internes de votre corps qui implorent la guérison.

1. **Commencez par vous asseoir et méditer selon vos habitudes pendant plusieurs minutes.**

   Si vous n'avez pas d'habitudes établies, voyez le chapitre 6 – ou contentez-vous de vous asseoir en silence, de respirer profondément tout en laissant votre corps se décontracter légèrement à chaque expiration.

2. **Imaginez une sphère de lumière suspendue à environ 30 cm au-dessus de votre tête, un peu vers l'avant.**

   Comme le soleil, cette sphère incarne et irradie toutes les qualités positives, curatives et harmonieuses que vous désirez le plus manifester dans votre vie actuelle. (Au début, vous avez peut-être envie d'être précis – force, clarté, paix, amour, puis par la suite, initier cette lumière suffira.) Pour vous aider, vous pouvez imaginer un être spirituel comme Jésus ou le Bouddha à la place (ou à l'intérieur) de la sphère.

3. **Imaginez que vous vous empreigniez de toutes ces qualités grâce à la lumière curative, comme si vous preniez un bain de soleil.**

4. **Imaginez cette sphère irradiant la lumière dans toutes les directions jusqu'aux confins de l'univers et aspirant l'énergie de toutes les forces bienfaisantes qui aident à votre guérison dans la sphère.**

5. **Visualisez cette énergie curative et positive briller depuis la sphère comme la lumière d'un millier de soleils circulant dans votre corps et votre esprit.**

   Imaginez que cette lumière élimine toute la négativité et la tension, l'obscurité et la dépression, les soucis et les inquiétudes et les remplace par le rayonnement, la vitalité, la paix et toutes les qualités positives que vous recherchez.

6. **Continuez d'imaginer cette lumière puissante et curative insuffler chaque cellule et chaque molécule de votre être, faisant disparaître toute contraction et blocage pour vous laisser en bonne santé, apaisé et fort.**

7. **Visualisez cette sphère lumineuse descendre progressivement dans votre cœur où elle continue d'irradier cette puissante lumière curative.**

8. **Imaginez-vous devenu un être lumineux doté d'une sphère lumineuse dans le cœur qui irradie en permanence la santé, l'harmonie, la paix et la vitalité – dans un premier temps à l'ensemble des cellules et particules de votre propre être, puis, à travers vous, à tous les autres êtres, dans toutes les directions.**

Vous pouvez porter en vous le sentiment de vitalité et de force suscité par cet exercice pendant le reste de la journée.

Garder contact avec la terre

Voici un exercice simple qui peut vous aider à redescendre sur terre lorsque vous commencez à sentir que vous vous dispersez et planez.

1. **Commencez par vous asseoir en silence, fermer les yeux et respirer plusieurs fois lentement et profondément.**

   Asseyez-vous si possible sur le sol, le dos droit (voir les positions assises au chapitre 5).

2. **Focalisez votre conscience sur le bas de votre ventre, sur un point situé à environ à 5 cm sous le nombril et 4 cm à l'intérieur du corps.**

Les artistes guerriers appellent cette région le Tan t'ien et considèrent qu'elle est le point de convergence de l'énergie vitale ou ch'i. Explorez cette zone avec une attention consciente, en notant ce que vous ressentez.

3. **Dirigez votre respiration dans cette région, en l'élargissant pendant l'inspiration et en la contractant pendant l'expiration.**

Respirez délibérément et consciemment dans votre Tan t'ien pendant au moins 5 minutes, en laissant votre conscience et votre énergie se concentrer à cet endroit là. Remarquez votre centre de gravité se déplacer depuis le haut du corps à votre Tan t'ien.

4. **Tout en continuant de respirer dans votre Tan t'ien, imaginez que vous soyez un arbre dont les racines s'enfoncent en profondeur sous terre.**

Ressentez et visualisez ces racines naître dans le Tan t'ien puis s'allonger depuis la base de la colonne vertébrale jusqu'au sol où elles s'enfoncent aussi loin que vous parvenez à l'imaginer.

5. **Sentez et visualisez ces racines aspirer l'énergie de la terre pendant l'inspiration puis cette énergie se diffuser par les racines pendant l'expiration.**

Continuez de sentir et visualiser cette circulation d'énergie – vers le haut au moment de l'inspiration et vers le bas au moment de l'expiration - pendant 5 à 10 minutes.

6. **Une fois votre tan t'ien rechargé et fortifié, vous pouvez vous lever et reprendre vos activités normales.**

De temps en temps, arrêtez-vous et imaginez ces racines.

Découvrir le ciel de l'esprit

Voici une courte méditation que vous pouvez pratiquer dès que vous êtes dehors et qui vous donne un avant-goût de l'immensité de votre propre nature essentielle, que les adeptes zen appellent, à raison, « grand esprit ».

1. **De préférence par temps clair, asseyez-vous ou couchez-vous les yeux tournés vers le ciel.**

Mettez de côté votre esprit analytique pour le moment ainsi que tout ce que vous pensez savoir sur le ciel.

2. **Consacrez plusieurs minutes à contempler l'immensité du ciel, qui semble s'étirer à l'infini dans toutes les directions.**

3. **Laissez progressivement votre esprit s'élargir pour remplir le ciel – de haut en bas, du nord au sud, d'est en ouest.**

   Laissez partir toute notion de frontières personnelles au fur et à mesure que vous remplissez le ciel de votre conscience.

4. **Devenez complètement le ciel et reposez-vous dans l'expérience pendant quelques minutes.**

5. **Revenez petit à petit à votre perception normale de vous-même.**

   Comment vous sentez-vous ? Avez-vous remarqué une quelconque modification dans votre conscience ? Une fois que vous avez pris le tour de main, vous pouvez pratiquer cet exercice sur de courtes périodes, à n'importe quel moment de la journée, pour vous rappeler qui vous êtes – par exemple en promenant le chien le matin ou en regardant par la fenêtre pendant la pause au boulot.

Pratiquer le demi-sourire

Selon le professeur bouddhiste vietnamien Thich Nhât Hanh, il est possible de retrouver sa bonne heure et son bonheur naturel simplement en souriant consciemment, même lorsque le moral n'est pas au rendez-vous. La recherche scientifique actuelle reconnaît que le sourire relaxe les centaines de muscles du visage et procure sur le système nerveux les mêmes effets que le véritable plaisir.

Sourire est aussi communicatif et entraîne également les autres à sourire et à être heureux.

1. **Consacrez quelques instants pour former un demi-sourire avec vos lèvres.**

   Observez la réaction des autres parties de votre corps. Votre ventre se détend-il ? Votre dos se redresse-t-il naturellement un petit peu ? Voyez-vous une subtile évolution de votre humeur ? Notez également toute résistance lorsque « vous n'avez pas franchement le cœur à ça. »

2. **Gardez ce demi-sourire pendant au moins 10 minutes lorsque vous reprenez vos activités.**

   Remarquez-vous un changement dans vos agissements ou vos réactions par rapport aux autres ? Répond-on à votre sourire par un sourire ?

3. **La prochaine fois que vous n'avez pas le moral, essayez le demi-sourire pendant une demi-heure et notez ensuite comment vous vous sentez.**

Un endroit tranquille

En décontractant rapidement et facilement le corps, cette méditation peut être utilisée seule pour faciliter la guérison. Elle représente également une sorte de monastère ou de refuge intérieur dans lequel vous pouvez aller lorsque vous vous sentez menacé, peu en sécurité ou stressé.

1. **Commencez par vous asseoir confortablement, fermer les yeux et respirer profondément à plusieurs reprises.**

2. **Imaginez-vous dans un lieu sûr, protégé et calme.**

   Il peut s'agir d'un endroit que vous connaissez (un site naturel par exemple – comme une prairie, une forêt ou une plage), d'un lieu que vous avez visité une ou deux fois auparavant ou tout bonnement d'un espace sorti de votre imagination.

3. Prenez le temps nécessaire pour imaginer cet endroit paisible aussi nettement que possible, de tous vos sens.

Observez les couleurs, les formes, les sons, la lumière, la sensation de l'air sur votre peau, le contact de vos pieds avec le sol. Explorez cet endroit particulier du fond du cœur.

4. Autorisez-vous à demeurer dans les sensations de confort, de sécurité et de tranquillité suscitées par ce lieu.

5. Restez-y aussi longtemps que vous le souhaitez.

Une fois l'exercice fini, revenez au moment présent et ouvrez les yeux, tout en continuant de profiter des sentiments agréables et positifs.